de Michelle et Mario
/2005

D0537826

Les Éditions du Boréal
4447, rue Saint-Denis
Montréal (Québec) H2J 2L2
www.editionsboreal.qc.ca

Que vais-je devenir
jusqu'à ce que je meure ?

DU MÊME AUTEUR

La Belle Épouvante, roman, Éditions Quinze, 1980 ; Éditions Julliard, 1981. Prix Robert-Cliche.

Le Dernier Été des Indiens, roman, Éditions du Seuil, 1982. Prix Jean-Macé.

Une belle journée d'avance, roman, Éditions du Seuil, 1986 ; Éditions du Boréal, coll. « Boréal compact », 1998. Prix Québec-Paris.

Le Fou du père, roman, Éditions du Boréal, 1988. Grand Prix du livre de Montréal.

Le Diable en personne, roman, Éditions du Seuil, 1989 ; Éditions du Boréal, coll. « Boréal compact », 1999.

Baie de feu, roman, poésie, Éditions des Forges, 1991.

L'Ogre de Grand Remous, roman, Éditions du Seuil, 1992 ; Éditions du Boréal, coll. « Boréal compact », 2000.

Sept lacs plus au nord, roman, Éditions du Seuil, 1993 ; Éditions du Boréal, coll. « Boréal compact », 2000.

Le Petit Aigle à tête blanche, roman, Éditions du Seuil, 1994. Éditions du Boréal, coll. « Boréal compact », 2000. Prix du Gouverneur général, 1994 ; prix France-Québec.

Où vont les sizerins flammés en été ?, histoires, Éditions du Boréal, 1996.

Le Monde sur le flanc de la truite, notes sur l'art de voir, de lire et d'écrire, Éditions du Boréal, 1997 ; coll. « Boréal compact », 1998 ; L'Olivier, coll. « Petite bibliothèque américaine », 1999.

Des nouvelles d'amis très chers, histoires, Éditions du Boréal, 1999.

Le Vacarmeur, notes sur l'art de voir, de lire et d'écrire, Éditions du Boréal, 1999.

Le Vaste Monde. Scènes d'enfance, nouvelles, Éditions du Seuil, 1999.

Monsieur Bovary ou Mourir au théâtre, théâtre, Éditions du Boréal, 2001.

Un jardin entouré de murailles, roman, Éditions du Boréal, 2002.

Iotékha', carnets, Éditions du Boréal, 2004.

Robert Lalonde

Que vais-je devenir
jusqu'à ce que je meure ?

roman

Boréal

Les Éditions du Boréal remercient le Conseil des Arts du Canada
ainsi que le ministère du Patrimoine canadien et la SODEC
pour leur soutien financier.

Les Éditions du Boréal bénéficient également du Programme
de crédit d'impôt pour l'édition de livres du gouvernement du Québec.

Diffusion au Canada : Dimedia

Catalogage avant publication de Bibliothèque et Archives Canada

Lalonde, Robert

Que vais-je devenir jusqu'à ce que je meure ?

ISBN 2-7646-0412-2

I. Titre.

PS8573.A383Q4   2005   C843'.54   C2005-941752-8
PS9573.A383Q4   2005

S'il n'était que de maintenant,
on abandonnerait. Mais il y a l'enfant qui réclame,
cette boucle que la nature, par son entremise,
vous enjoint de refermer.

PIERRE BERGOUNIOUX, *Le Grand Sylvain*

Aussi, quand vinrent les zéphyrs du renouveau,
furent-ils les premiers à s'étonner
et à propager sur la place publique
la défense de l'ordre ancien.

GEORGES-ÉMILE LAPALME
Le Bruit des choses réveillées

En ce temps-là on pouvait encore ouvrir les fenêtres des autobus. Je respirais le vent d'automne, le parfum puissant des feuilles sous la pluie. J'avais sorti la tête et respirais, sans penser à rien. J'écoutais les gémissements de je ne savais quel monstre pitoyable qui se plaignait dans la nuit : c'était le chuintement des roues de l'autobus sur la route mouillée, accouplé au bruit de mon cœur qui cognait à me déchirer les côtes.

Passé la montagne, j'étais le seul passager, le dernier. Le chauffeur m'avait oublié. Il se croyait seul, il sifflait. Moi, je n'osais ni tousser ni chantonner ni même remuer sur ma banquette. J'étais un fantôme surnuméraire, tous ses nerfs en bataille, la tête dans la nuit. Les feuillages étaient troués de lueurs. C'étaient une lampe dans une chambre, un feu exténué dans un champ, une coulée de lumière de lune surgissant des nuages. Tout ça me rappelait, filant à toute allure, que j'étais transitoire moi aussi et brûlais d'un tout petit incendie incertain. J'avais mal de vivre encore, j'étais content d'exister toujours et je roulais dans le mystère de la nuit. J'approchais du lac, du village, de ces deux jours de congé qui, je le savais, me seraient enlevés dans le moment même où ils me seraient donnés. J'avais treize ans. Ce que je voulais, ce que désespérément je voulais, était impossible. Quand même, il y aurait la grande lumière au-dessus du lac, le bonheur essoufflé de mon chien, l'oubli peut-être, l'oubli passager du collège. Un répit, une parenthèse d'érables rouges, de vent fou, d'heures libres.

Le moteur de l'autobus toussa. Nous grimpions au ralenti la côte du monastère. Je l'avais si souvent descendue, à bicyclette, le cœur dans la bouche, en poussant des cris de putois. L'hypothèse de perdre ma vie au creux du ravin n'entravait pas ma joie : j'aimais ce formidable étourdissement de ma vitesse entre le ciel vide et la coulée rapide de l'asphalte qui filait sous moi comme de l'eau qui monte.

Les hautes épinettes, en deux rangs solennels, bordaient toujours le chemin menant au cimetière. Je me dis, encore une fois : « Un jour il me faudra m'y aventurer, sortir du seul monde que je connaisse et marcher à la rencontre de grand-père qui dort sous le saule pleureur. » Mais j'avais peur. Et puis c'était trop tôt encore.

Là-bas, dans notre maison, on m'attendait sans m'espérer. J'étais fils, neveu, cousin, et pourtant j'étais seul. J'étais seul chez nous comme j'étais seul au collège, entouré de mes camarades, fantôme chargé par je ne savais quel dieu méticuleux et rancunier d'arpenter ces limbes où nous existions sans vivre. Les miens allaient de nouveau me reconnaître, moi qui ne me connaissais pas. Ils allaient exiger de moi que je bouge comme ci, parle comme ça, et docilement j'imiterais l'enfant qu'ils savaient par cœur, leur grand, en congé, cet enfermé que sa permission agitait comme la bourrasque l'arbrisseau. Je n'étais, après tout, qu'un petit diable comme les autres, excité par ces quelques heures énervées, bien comptées, qu'on l'autorisait à gaspiller comme il voulait.

Je me roulai en boule sur la banquette. Je m'assoupis et le rêve recommença. Dans le vent fou rempli d'oiseaux, j'étire les bras, je vole, je quitte pour toujours le village, le collège, cette terre, leur cosmos. Je disparais sans avoir à mourir. Je pars recommencer ma vie ailleurs, je ne sais où. C'est fini.

Devant le garage de mon oncle vacillait la lueur bleue du néon qui restait allumé toute la nuit. L'autobus s'arrêta. Je descendis. Comme un égaré, je clignai des yeux dans une nuit que je connaissais pourtant par cœur. Ma petite valise de carton se balançait au bout de mon bras.

J'avançai à tout petits pas, écœuré, déjà vaincu, sur le chemin de sable, écoutant une voix qui chuchotait au fond de moi : « C'est fini avant d'avoir commencé. »

*　*　*

Il me réveillait d'une bonne secousse. J'ouvrais les yeux sur cet homme que je reconnaissais mais ne connaissais pas : mon père, en veste à carreaux, la casquette enfoncée jusqu'aux oreilles, chaussé de ses longues bottes de caoutchouc qui lui grimpaient jusque sous les bras. Pas un mot n'était prononcé. Il me secouait puis il ressortait de la chambre comme il était entré, longue apparition bottée au souffle court. Je tâchais de me situer, détaillant le plafonnier éteint, les grandes fleurs invraisemblables du rideau entrouvert sur la saignée rose de l'aube, mon habit de chasse pendu au dos d'une chaise. C'était le vêtement de celui que j'appelais « l'autre », le vrai fils de mon père, son fidèle compagnon de chasse. Moi, j'étais le rêveur, l'exalté, le pleurnicheur. Celui qui n'était pas né pour tuer les bêtes, avaler sans grimacer trois lampées d'affilée de whisky blanc, se battre avec ses frères et taire de toutes ses forces son effroi et les images de ses songes.

Je me frottais les yeux. J'espérais me trouver au dortoir du collège, où il n'y avait aucune chance que ma détresse s'estompe à mesure que montait le jour dans la fenêtre. Au dortoir, il était inutile de désirer, de vouloir. C'était sans espoir. Mais non, j'étais dans ma chambre, qui n'était plus ma chambre mais un débarras où s'entassaient nos vieilles affaires contre lesquelles je me cognais en tâchant de m'habiller.

Je descendais lentement l'escalier. Au bout de la treizième marche, je retrouvais comme toujours mon espérance, réveillée par l'odeur du pain grillé et les rouges de l'érable dans la fenêtre de la cuisine. Le jour se levait avec moi, en même temps que moi. Le jour se levait donc pour moi. Il ne fallait pas que j'abandonne ma quête, cette farouche attention à tout, cette traque qu'il me faudrait mener à l'aveuglette dans la broussaille du jour nouveau.

Nous empruntions le sentier qui coupait en deux le jardin de grand-père. Nous franchissions la haie de cèdres. Un chien que je n'avais pas connu y avait troué un passage. Nous longions le jardin des Lachapelle, encore dans la brume du petit matin. Nous traversions la rue du bord de l'eau. On aurait dit une rivière, tant l'asphalte était mouillé de rosée. Nous avancions encore de cent pas, en prenant bien soin de poser nos bottes boueuses sur les plaques d'ardoise du jardin de Pitt. Au bout du sentier, il y avait une pente en ciment qui menait au quai de bois où était amarrée notre chaloupe. Court voyage où je voyais encore mes rêves, mêlés aux branches des arbres, aux nouvelles antennes de télévision, aux nuages couleur de braise mourante. Papa ne disait rien. Il soufflait comme un ogre, chargé des fusils, des rames et de l'ancre. Je portais les thermos à café et je me taisais. Il le fallait. Je taisais ma surprise et mon tourment de marcher derrière ce grand homme inconnu, harnaché en coureur des bois et qui, à tout bout de champ, m'attrapait le bras, me tirait vers lui et me frottait rudement le bas-ventre, le regard lancé au ciel. Je savais qu'il ne soupçonnait pas davantage que moi d'où lui venait ce désir farouche qui nous soudait l'un à l'autre pour aussitôt nous rejeter chacun de notre côté, étrangers, ennemis. La voix en moi répétait : « Il ne peut pas faire autrement, c'est comme ça. »

Je m'asseyais tout au bout du quai, d'où j'avisais dans l'eau qui s'allumait vingt menés que je taraudais du bout de l'une de mes bottes. La brume se levait pendant que papa détachait la chaloupe, en écopait le fond avec un bocal de fer blanc, sa cigarette entre les dents. Il grimaçait, grognait. On aurait dit que toute cette affaire, qu'il avait voulue pourtant — le lever dans la fin de la nuit, le transport ardu du gréement, la chaloupe pleine d'eau de pluie, le froid qui gerçait les mains, son fils qui rêvait, le ciel incertain, les moutons des vagues, les canards de bois avec leurs fils munis de pesées et qu'il fallait encore une fois démêler —, était un martyre immérité, le prix à payer, peut-être, pour que se perpétue l'ancien temps. Pourtant il savait, quelqu'un en lui devait savoir que tout était fini depuis longtemps.

Je ne quittais pas des yeux les petits poissons d'argent ensorcelés par ma botte qui gigotait entre deux eaux. Je lançais en l'air mes soucis, mes désirs, pour aussitôt les rattraper et les renvoyer dans le ciel. C'était une manie, une espèce de supplice que je m'imposais pour tenter de me délivrer de la nervosité qui me fatiguait. En fait, j'étais hanté par une question, une seule, qui ne me lâchait plus : « Pourquoi tentons-nous toujours de faire ensemble ce qui, pour les grands, n'a plus de sens et, pour les petits, n'en a pas encore et peut-être n'en aura jamais ? »

Papa paraissait fâché de m'emmener chasser avec lui. Je comprenais qu'il devait le faire et que je devais le faire avec lui. C'était comme ça. Il entendait encore une fois me montrer l'effort auquel il me fallait consentir pour devenir un homme, un homme fâché et qui s'en va chasser, parce qu'on allait chasser, dans les petits matins glacés d'octobre, depuis toujours. Je savais qu'il pensait : « Regarde-moi ce ciel, mon gars ! Il est du même rouge que le sang qui coule dans tes veines. Tâche de comprendre que tout est misère et qu'en même temps tout est joie. Aide-moi à t'aider, mon gars. Je fais ce que je peux ! Tu pourras pas dire le contraire,

14

plus tard, quand tu peineras, tout seul, à tenter de faire advenir l'impossible !» Ces mots-là, papa les taisait. Grimaçant, reficelant ses canards de bois, il levait sur moi ce regard chagrin d'homme qui ne pouvait pas, qui ne devait pas dire à son fils de quoi au juste elle était faite, cette vie qui ne nous appartenait pas davantage que l'eau aux menés, que le ciel aux canards. Cette demi-existence qui était à nous sans être à nous, comme le quai où était amarrée notre chaloupe, le quai de Pitt qui nous était prêté, seulement prêté.

— À quoi tu jongles encore ? Embarque, faut y aller !

Je prenais place au fond de la chaloupe, entre les fusils et les canards de bois. Je levais la tête vers le ciel de sang et je subissais avec un bonheur qui me faisait mal le vent qui me fouettait, la houle de la vague, la lamentation chagrine du moteur. J'oubliais papa, sa face soucieuse, et aussi les paroles qu'il avait gardées pour lui et que pourtant j'avais entendues. J'oubliais le collège, où le soir même je serais de nouveau enfermé. J'oubliais la chasse, j'oubliais même notre voyage sur l'eau. C'était un répit, une trêve. Mon échappée belle m'autorisait à convoquer les créatures de mes rêves qui, comme les artistes de la tombola qui débarquaient au village en mai, trimbalaient avec elles leurs décors. Il m'était enfin permis de faire advenir ce qui m'était essentiel et n'effleurait pas les autres. Je calais ma tuque sur mes oreilles, histoire de convertir le grondement du moteur en une musique à laquelle j'accordais aussitôt ma voix. Alors j'étais chanteur, et l'univers entier m'écoutait psalmodier un contentement douloureux que je ne comprenais pas et qui sortait de moi comme le cri de la sterne, la note triste du moteur, le lamento du vent. Le ciel m'entendait mais papa, lui, ne m'écoutait pas. Peut-être chantonnait-il aussi ? Peut-être s'échappait-il de son côté ? Nous étions peut-être deux bardes qui s'égosillaient chacun pour soi, incapables l'un comme l'autre de lâcher notre trop-plein ailleurs et autrement ? Je faisais moduler ma voix qui gagnait vite le nuage cramoisi au-dessus de nous. C'était un château incendié d'où bientôt s'enfuirait, délivrée par mon chant, une fille qui m'aimait depuis toujours sans me connaître. Soudain, elle m'apercevait et se mettait à pleurer. Je recevais ses larmes sur mon visage. Une mauve nous survolait, qui faisait monter ma voix. Alors j'étais cette fille que j'avais abandonnée et j'étais désespérée. Mes joues étaient ruisselantes de larmes que j'imaginais brûlantes et qui étaient glacées. Je me disais que j'étais fou, puisque j'étais un garçon, que j'étais morte noyée et pleurais des larmes incandescentes et gelées. Mais je chantais toujours. Je fredonnais un deuil qui me concernait en profondeur. La mauve jaillissait de la vague, un brin d'algue dans le bec. Ma voix redescendait. J'étais ressuscité et mystérieusement redevenu moi-même. J'entonnais une nouvelle complainte, pour louer la vie invincible, la souplesse des ailes de l'oiseau, la force du vent, ma masculinité retrouvée, le sang qui pâlissait dans le ciel, la mort que j'avais déjouée. Je fermais les yeux, faiseur de miracles satisfait. Soudain — il ne s'annonçait jamais autrement que par une trouée dans un nuage, du même bleu que ses yeux — j'avais devant moi le visage de Jean-Pierre, grimaçant à mon intention son pauvre sourire de laissé-pour-compte, dans le miroir surplombant le lavabo du dortoir, où chaque matin son visage apparaissait à côté du mien, pâle et découragé. On aurait dit qu'il attendait de moi je ne sais quelle caresse, quel coup, quelle misère, quelle rédemption. Il n'allait pas souvent chez lui. Son village était au bout du monde. Il disait : « Chanceux, tu t'en vas chez toi, tu vas voir les grands arbres roux, le ciel, le lac, des oiseaux. Tu vas avaler de la viande rouge, de vrais légumes, de vrais fruits, des gâteaux. Tu as devant toi deux longs jours libres, tandis que moi... » Je le voyais, agenouillé sur le prie-Dieu du huitième banc de la chapelle, la tête inclinée en direction de la place vide à côté de lui, la mienne. Je m'attardais sur son regard mouillé, sur sa mèche rebelle que j'appelais son aile de corbeau. Je l'aimais, je le détestais. J'avais tour à tour envie de l'étreindre, de le bousculer, de le consoler, de le frapper. Il m'émouvait, il m'énervait. Si je cherchais à le voir, je ne le trouvais nulle part. Si je tentais de le fuir, de l'éviter, il se trouvait brusquement devant moi, les yeux battus, grimaçant son effrayant sourire de sous-doué abandonné. Je l'entendais bourdonner Ô *solutaris ostia* avec les autres, son visage triste éclairé par le rayon bleu du vitrail. Il dévisageait le soleil de l'ostensoir, juché tout en haut de l'autel, au milieu duquel resplendissait — c'étaient ses propres mots — « le grand berger déguisé en rondelle de pain sec qui dévisage ses moutons endormis ». Le cœur serré, j'allongeais le bras pour attraper sa main brûlante. Mais voilà qu'une sterne piquait sur nous. J'oubliais Jean-Pierre pour suivre le plongeon de l'oiseau. Je disparaissais avec lui dans les profondeurs glauques, où j'ondoyais comme une algue, épouvanté de voir s'échapper si vite les bulles de mon souffle. J'étais éberlué de ne pas voir ma courte vie défiler devant moi, mais des visages éplorés que je ne connaissais pas et aussi les maisons d'un village blanc, au bord d'une mer que je n'avais jamais aperçue de mon vivant. Je partais seul et sans avoir existé, dans la froide indifférence de l'eau. Ma mémoire n'avait servi à rien, mon cœur avait à peine battu, ma peau n'avait pas connu les frissons de l'amour. Je chantais mes propres funérailles. Chaque note, emprisonnée dans sa bulle, montait crever la surface, sous un ciel rouge magnifique. C'était beau. Je réussissais ma fin, moi qui n'avais rien accompli. Je décampais glorieusement. On allait me regretter. On allait s'apercevoir que j'avais été là avec talent et qu'on m'avait ignoré. On allait se dire, mais trop tard : « C'était donc ça qu'il essayait de nous faire comprendre, quand à tout bout de champ il ânonnait : "Tout est fini avant d'avoir commencé !" »

Soudain le moteur s'arrêtait et un gros silence nous entourait, qui m'arrêtait le cœur. J'étais vivant, ça continuait. Il allait falloir attendre encore. Il allait falloir compter les coups de fusil de papa, éprouver au fond de moi la mort violente du siffleur ou du bec-scie, suivre sa virevolte dans le ciel, écouter sa chute plate dans l'eau. Il allait falloir attraper la rame, rapprocher de la chaloupe et cueillir à mains nues l'oiseau au cou cassé et qui perdrait son sang sous l'aile. Il allait falloir que je referme ma main sur sa belle tête brisée. Rien que d'y penser, je tombais au fond de la chaloupe où je me roulais en boule, découragé, écœuré, les épaules endolories comme si on m'avait battu.

*　*　*

Assis sur la première marche de l'escalier, je pleure. Le visage me ruisselle dans les mains. L'armoire et la table dégoulinent. Dans la fenêtre, le grand érable chiale du sang. Soudain, je hurle :

— Pourquoi ?!

Je ne sais pas d'où vient ce cri, d'où surgit ce chagrin qui me noie. Il avait pourtant commencé en peine bien ordinaire. À présent, je pars en cataracte chaude, je perds toutes mes eaux. Je vais périr englouti dans ce marais salé qu'invente mon chagrin, au pied de l'escalier. Maman et papa sont là, qui pourraient me consoler. Ils sont à table, le nez dans leur assiette. Ils se taisent. Ils attendent que ça passe. Maman prononce, en dévisageant la lampe :

— Tu vas te rendre malade. Arrête, viens manger !

Je n'ai peut-être rien dit, après tout. Je n'ai pas prononcé mais hoqueté dix mots affreusement baveux et qui sont tombés sur les fleurs grises du prélart. Mes pleurnichements leur coupent l'appétit. Dans les assiettes, la sauce s'est figée. Du bout de la fourchette, ils déplacent un petit îlot de patates, une mince dune de haricots. Je me mets à leur place, c'est facile. Je me dis : « Tu dois retourner au collège ! C'est pour ton bien ! Le pic et la pelle, c'est ça que tu voudrais ? Ne rien connaître, ne rien apprendre, atteindre l'âge d'homme sans avoir appris le latin, la souffrante histoire du monde, l'indispensable magie de l'algèbre et aussi l'anglais, sans lequel, comme ton oncle Louis, ton oncle Florent, on moisit dans une sacristie, on se brise le dos à chauffer un camion ? C'est ça, c'est cette vie-là, c'est une vie comme ça que tu voudrais ? Et qu'on ne tue plus les canards, que le bon Dieu fait voler dans la mire de nos fusils exprès pour qu'on les abatte et qu'on les couche dans la poêle, avec la bonne sauce de ta mère ? Mais qu'est-ce que tu voudrais, vas-tu enfin nous le dire ?… » Je change de voix. Cette fois, c'est moi qui parle. Je dis : « Je veux une autre vie ! Ne me demandez pas laquelle. Sans doute celle que vous avez exigée, vous aussi, avant moi et qu'on ne vous a pas donnée. Je suis malheureux, je ne suis pas fou. Je sais que le collège, c'est déjà fini, que tout ce que j'apprends, il me faudra péniblement le désapprendre. Que je passerai ma jeunesse à me désintoxiquer du savoir mort, à cracher les poisons d'innombrables fausses vérités. Pour commencer à exister, je ne disposerai que d'un corps ratatiné, d'un cœur rabougri, d'une peau usée prématurément, pareille à telle page ou à telle autre de mes manuels de latin et de grec, qui avant moi ont appartenu à des plus grands, qui les avaient reçus des plus vieux. Une peau sèche, insensible, une mue qui mettra des années à tomber de moi. Et tout ça, je vous le demande tandis qu'il est peut-être temps encore, *pourquoi* ? Je marche dans vos rêves brisés, à tout bout de champ attrapé par l'une de vos balles perdues. Vous ne voyez pas le dégoût qui ruisselle sur ma face ? Vous ne voyez pas ma honte d'avoir à devenir ce que vous n'êtes jamais devenus ? Et qui dit que lorsque le jour sera venu j'y serai encore, qu'un reste de moi sera toujours là pour marmonner "présent", quand il s'agira de commencer à vivre ? »

Maman pleure. Papa grogne. Il ne sait plus quoi faire de moi. Il ne sait plus non plus quoi faire de lui-même, de ses brusques envies de m'attraper le sexe, histoire de reprendre, avec son gars qui n'est plus un enfant, un jeu qui pour lui s'est arrêté trop tôt. Maman qui sait tout, devine tout, s'efforce de croire que le collège me guérira. Elle dit :

— T'auras tout oublié le jour de tes noces.

Ce soir-là, au dortoir, dans la petite valise de carton, entre deux de mes chemises soigneusement repassées par maman, je trouve une lettre de papa. Non, pas une lettre, mais une note, un court sermon, dessiné d'une écriture large, décidée, autoritaire :

Mon garçon, tu fais de la peine à ta mère. Tout ce qu'on te demande, c'est de travailler plus fort. Tes notes ne sont pas fameuses. Tes études coûtent cher, tu le sais. Applique-toi. La vie, c'est comme la chasse. Il faut être patient et tu ne l'es pas. Sois courageux. Travaille.

Ton père.

*   *   *

À travers les volets fermés du dortoir se faufilait la clarté sous-marine du réverbère, qu'on appelait « la sentinelle ». Le jour comme la nuit, elle veillait sur la cour. J'en faisais un clair de lune. J'étirais mes bras et les faisais lentement bouger dans l'air. Je les caressais, ému par leur ondoiement marin, si éloigné du pauvre usage que j'en faisais en classe, à la chapelle, dans la cour. Même mort, j'étais toujours vivant. J'appelais au secours de mon corps, momifié dans son sarcophage de draps râpeux, la vraie lumière d'une étoile. La lueur miséricordieuse qui coulait sur moi tombait au même moment sur mes arbres, les Trois Pins de la baie. Je connaissais par cœur leur immobilité royale dans la nuit. Comme leurs branches dans le vent, mes bras faisaient au-dessus de moi d'élégantes arabesques qui me remettaient d'aplomb. C'était la gesticulation aisée, fluide, de mon corps d'autrefois. Mystérieusement, j'en avais gardé le souvenir. J'avais été, il y avait longtemps, cet éphèbe nu, gracieux, baigné de lune que j'admirais si souvent à la salle d'étude. Le dictionnaire s'ouvrait de lui-même à la page où je dansais dans la nuit, sous Castor et Pollux, en costume d'Adam, le regard extasié. J'avais été vivant et beau, avant. Je le redevenais en songe. La nuit, il n'y avait plus personne pour épier mes remuements étriqués, mes grouillements d'enflammé qu'on s'acharne à éteindre et je dansais. J'étais le seul éveillé de cette vaste chambrée d'enfants éberlués de ne plus être des enfants. De temps à autre, ils lâchaient en rêve des sanglots qui vite s'étranglaient. J'y voyais les signes qu'une affreuse métamorphose s'opérait en eux aussi, à laquelle, comme moi, ils ne consentaient pas. Écoutant les lamentations de ces blessés endormis, je sentais naître au fond de moi une compassion farouche pour tous les délaissés du monde, tous ceux qui ne vivaient que dans leurs rêves, où ils s'éveillaient enfin. Je ne quittais pas des yeux mes bras qui remuaient gracieusement dans la phosphorescence marine de la lune. Soudain, la voix sans charité chuchotait à mon oreille : « Ce n'est pas la lune, c'est le réverbère ! Tu n'es pas dans la baie, tu es ici, au collège, au dortoir, encerclé de naufragés immobiles comme toi et qui chialent en dormant ! Et ce n'est pas fini ! C'est loin d'être fini ! Ça va durer, comme ça, des années ! Comment feras-tu ? C'est impossible, tu le vois bien ! Un matin, on secouera ton corps non pas endormi mais défunt. Il sera trop tard et tu n'auras pas vécu. Ta place sera donnée à un autre qui prendra, sans le vouloir, ta pose de gisant, dans le même lit. Il exigera la lune lui aussi et ne recevra sur le visage que le rayon artificiel de la sentinelle. » Un rapide désespoir m'étouffait et je me rendormais.

Il était peut-être trop tard, tout était peut-être fini, mais je pouvais faire balancer mes bras, magnifiques comme des ailes, dans une vraie lueur de lune. Ce n'était pas rien. Narcisse n'est pas ce beau jeune homme qui s'admire, penché sur son reflet dans l'eau. Il est celui qui ne connaît pas son visage et qui, l'apercevant entre les roseaux, découvre un étranger auquel il espère un jour ressembler, et alors on l'aimera car il méritera qu'on l'aime. J'étais Narcisse, la nuit et aussi parfois à la salle d'étude, détaillant dans le dictionnaire des images peintes il y avait des milliers d'années par des hommes qui se souvenaient d'avoir été beaux et espéraient un jour le redevenir. Souvent ce souvenir et cette espérance-là me suffisaient, mêlés au grand bruit d'eau que faisaient les pins quand, tout à coup, dans mon rêve, le vent se levait.

À cinq heures et demie, la cloche hurlait et s'allumaient en même temps les cent lampes du dortoir. Nous bondissions du lit comme des zombies et courions aux lavabos. Nous aspergions d'eau glacée nos visages qui grimaçaient à l'unisson, dans le grand miroir, une aversion radicale pour ce jour nouveau qui ne serait en rien différent de celui de la veille et qui n'était pas encore levé. Il se lèverait, le chanceux, une heure plus tard que nous.

Le couloir qui menait à la chapelle était percé de grandes fenêtres par où nous apercevions, au passage, la sentinelle. Elle veillait toujours, éclairant la cour déserte. Les poteaux et les filets de nos jeux étaient alors, pour moi, les ruines de ce match perdu d'avance qu'était la journée qui commençait.

*   *   *

L'ennui risquait de me tuer. Il pouvait aussi me conduire à tuer. Pour conjurer cette menace de suicide ou de crime, il me fallait à tout prix parvenir à rassembler le bois mort de la connaissance pour en faire à nouveau du feu. Il me fallait inventer une poétique de l'hypoténuse, une passion dévorante entre « *John and Mary in their garden* ». Il me fallait apercevoir à l'œil nu les couples d'animaux débarquant de l'Arche, échouée tout en haut du monde. Il me fallait entendre barrir les éléphants qui traversaient les Alpes, sous le commandement du chef des Carthaginois. Il me fallait surimposer à « *rosa, rosa, rosae* » leur parfum capiteux, que je connaissais bien et qui fait hésiter entre la tristesse et la joie. Il me fallait mettre X et Y entre deux parenthèses ouvragées, semblables aux arceaux encerclant les roses trémières du jardin de grand-père. Il me fallait trembler d'orgueil et de peur au passage de la belle Hélène traversant la muraille de feu qui encerclait Troie, dans son char, conduit par deux grands gars à demi nus qui faisaient claquer leurs fouets sur les échines de trois magnifiques chevaux noirs, leurs gueules bavantes d'écume. Il me fallait, déjà, la chair, le sang, la réalité songeuse de la fiction.

J'obtenais de mauvaises notes mais je m'en tirais, tout juste. J'avais vite compris : on étudiait un monde mort. Les mots, les chiffres tombaient en poussière sur nous. C'était fini. Dans la voix du professeur, c'était fini. À la suite du maître, nous arpentions des ruines, traversions des champs de bataille où tous les guerriers avaient depuis longtemps été tués. Nous recommencions des problèmes mille fois résolus. Nous articulions à notre tour les réponses depuis toujours ânonnées par nos prédécesseurs à des questions depuis toujours posées pour rien. Nous répétions sans cesse les mêmes bêtises. C'était insensé et ça m'endormait. Hypnotisé par la voix monotone du professeur qui prononçait la fin de tout, débitait des formules, des dates, refaisait tonner les vieux canons, retraçait les anciennes frontières, réinventait l'imparfait du subjonctif, évoquait l'eau de feu qui soûlait les Iroquois et les poussait à scalper le père Jogue et le pauvre petit René Goupil, je basculais dans l'allégorie. Je nageais dans la rivière aux serpents — je connaissais par cœur son eau lente, survolée de joncs fleuris et de nénuphars — en compagnie d'un René Goupil rieur, au crâne fraîchement rasé. Nous dérivions, le jeune martyr et moi, dans le langoureux courant de la rivière. Nous nous séchions sur la grève.

Les guerriers iroquois nous apercevaient, allongés sur le sable. Ils n'avaient pas le cœur de porter sur nos poitrines leurs haches rougies au feu. Nous changions l'Histoire. J'avais, avec Goupil, des conversations fraternelles, instructives, dans l'ombre des pins. Il en connaissait long sur la peur, le courage, la violence des remous, la douceur triste de l'air entre chien et loup. Il m'enseignait Pythagore, m'initiait à sa science mathématique et mystique. Il me faisait voir, le bras pointé vers le grand ciel de la baie, les planètes de Copernic, tournant sans finir autour du soleil. Il m'apprenait que les Iroquois, même endiablés d'eau-de-vie, possédaient le secret du temps qui jamais ne s'arrête, qui tourne sans cesse sur lui-même, comme nous, qui étions aussi vieux que lui. Il osait, pour consoler mon chagrin, des gestes semblables à ceux que papa avait avec moi, mais qui ne me faisaient pas mal. Il disait : « La vie recommence sans cesse. C'est à nous, c'est à notre tour. Il ne faut pas rester endormi ! » Il me secouait : « N'entends-tu pas l'appel, ce cri qui sort des branches ! Réveille-toi mais réveille-toi donc !… » C'était la cloche. Je n'avais pas écouté. J'avais rêvé. J'étais perdu. Que me voulait ce vieux jeune homme en soutane noire qui marchait sur moi, les sourcils tout en haut du front, la bouche tordue ? Qui étaient ces trente futurs scalpés, mes camarades, ces innocents éberlués qui me dévisageaient comme si je venais de tomber d'un arbre ou du ciel ?

Apprendre me paraissait impossible. Dans la voix du professeur, dans ses yeux braqués sur le bout de ses souliers, tout était fini, tout était mort depuis longtemps.

Malheureusement pour le père Théodore — c'était son nom, que notre professeur prononçait en fermant les yeux, comme s'il avait conscience d'avoir partie liée avec le monde poussiéreux des vieux livres —, j'avais une bonne mémoire. Je retenais facilement les dates, les formules, les règles. Tout ça n'avait pas d'importance et ne me demandait aucun effort. Vaille que vaille, j'allais réussir. Ça me désespérait. Après les Éléments latins, il y aurait encore à faire Syntaxe, Méthode, Versification, Belles-Lettres, Rhétorique, Philo I, Philo II. Ça n'en finirait pas ! La mort, qui jusque-là n'avait pas voulu de moi, allait finir par me sourire à belles dents, un jour ou l'autre.

— Je vous colle une retenue pour distraction !

D'un pas traînant, j'empruntais le corridor menant à la salle d'étude. Le temps de le dire, je purgeais vite ma punition, recopiant quatre cents fois « Je ne serai plus distrait en classe ». Après, il me restait deux longues heures pour rêver et pour tracer mes phrases sans queue ni tête sur la page de garde de l'un de mes manuels. Je déchirais la page couverte de signes fous et l'enfouissais au fond de ma poche. Caché derrière un arbre, dans la cour, je dénichais la boulette de papier, la dépliais et récitais au soleil mourant, aux poteaux du jeu de volley-ball, au ballon que le vent promenait dans l'herbe une stance fiévreuse qui racontait mon malheur mais semblait avoir été écrite par un autre.

Mes poèmes délirants ne faisaient pas allusion à mon malheur seulement. Ici et là, les mots faisaient voler une sterne, se plaindre mon chien, siffler le vent dans la hauteur des pins. Si l'on avait trouvé puis assemblé tous ces petits carrés de papier qu'à longueur de journée je froissais dans ma poche pour aussitôt les oublier, on aurait eu sous les yeux, non pas mon testament — je n'avais rien à léguer au monde et aux miens —, mais une espèce de grand jeu de piste, une carte, le plan qui menait au fond du trou où j'étais tombé et où, roulé en boule, attendant ma fin, j'espérais peut-être qu'on me trouve.

*   *   *

Jean-Pierre me suit dans le préau, au fond de la cour. Nous entrons dans son ombre épaisse de caverne. On croirait avancer dans l'eau. Les cris des garçons qui jouent nous parviennent à peine. Des feulements de chats grimpés trop haut dans l'arbre. Adossés au mur, nous nous dévisageons avec attention, soufflant de concert une grosse boucane blanche. Il s'agit pour chacun de mesurer en quoi l'autre a changé depuis la veille. S'est-il trahi ? A-t-il pleuré ? A-t-il gémi trop fort au dortoir ? L'a-t-on surpris en flagrant délit de chagrin ? A-t-on pu l'apercevoir, à la salle d'étude, le visage dans ses mains, murmurant « j'en peux plus ! » à sa paume mouillée ? Jean-Pierre a peur pour moi et je crains le pire pour lui. Nous redoutons, l'un comme l'autre, que les gars parviennent à débusquer en nous cette écœurante faiblesse qui peut nous valoir des insultes, des coups.

— À la chapelle, je t'ai vu t'essuyer les yeux avec ton mouchoir pas propre.

— C'est pas vrai.

— Oui, c'est vrai.

— Je commence un rhume, c'est tout.

— Menteur !

Il s'accroupit. Les cailloux font sous les semelles de ses souliers un bruit de feu qui prend. Je ne le regarde pas. Je marche en frôlant le mur, caressant du plat de la main la pierre glacée. Je ne dois pas le regarder. Quand je le regarde, c'est moi que je vois, et alors je le déteste, je me méprise. Il dit :

— Toi, t'as pleurniché en dormant, la nuit passée.

— J'te crois pas.

— Personne d'autre que moi t'a entendu, aie pas peur.

— Comment tu le sais ?

— Ah, tu vois, t'admets !

— J'admets rien du tout !

— Menteur !

J'ai soudain envie de le frapper. Pourtant je l'aime. Ici, je n'aime même que lui. Il dit :

— Tu sais ce que les gars m'ont demandé, ce matin, au réfectoire ?

Jean-Pierre sert et dessert trois tables au réfectoire. Il mange seul, avec les autres serveurs, quand la meute est sortie. Mon tour à moi est passé. Je n'ignore plus rien des mortifications qu'infligent les plus grands aux « éléments-latineux ».

— Y en a un — probablement celui avec les oreilles en portes de grange — qui t'a demandé d'aller lui chercher une tasse avec l'anse à gauche. Pis un autre — sans doute le grand Brodeur, celui qui a une assez belle tête de loup — a exigé que t'ailles poser sur la table des curés un pot de café salé.

— Comment tu le sais ?

— Y m'ont fait pareil.

— Non. Je veux dire comment tu le sais que le café était salé ?

— J'ai vu Brodeur verser du sel dans le pot.

— Pis tu m'as rien dit ?

— Comment voulais-tu ?

— T'es mon ami pourtant.

— Je sais pas.

— Comment tu sais pas ?

— Je sais plus rien. J'ai peur.

— Moi aussi.

— J'y arriverai pas !

— À quoi ?

— À m'habituer au collège.

— Moi non plus.

La cloche sonne. J'aurais voulu. Jean-Pierre aurait voulu. Mais quoi donc ? Il est trop tard. Nous avons gaspillé en geignements et mots blessants les courtes minutes de la récréation. Tout nous est ôté trop vite.

Il quitte le préau le premier, les épaules basses, le pas traînant. Je reste encore un peu. J'essaie de pleurer, la tête contre le mur, mais ça ne marche pas. J'aperçois soudain au creux de ma paume, une grande étoile de sang. Alors les larmes viennent. C'est qu'elle me fait peur, cette nouvelle manie de me cogner, de trébucher, de me blesser à tout bout de champ, sans que je puisse faire autrement.

*   *   *

À l'étude, je ne travaillais pas. Je lisais. Je lisais des niaiseries. Des histoires auxquelles il m'était impossible de croire, mais qui faisaient passer le temps. Bob Morane, les romans de la collection « Signes de piste », des bandes dessinées. Au dortoir, on les dissimulait sous l'oreiller. Certains possédaient des lampes de poche et suivaient, dans son rayon clandestin, les aventures de Tintin en Amérique, en Chine ou au Congo. Moi, empruntant l'espace blanc entre deux images, je lâchais le héros, m'évadais de la jungle, sautais du train en route pour Londres ou Singapour et m'intéressais à ma main allongée, morte-vivante, sur le bois verni de mon pupitre. Je détaillais attentivement ses plis inexplicables, son duvet blond-blanc, la crasse nichée loin sous les ongles rongés au sang. J'enfonçais la pointe de mon crayon dans ma paume et m'étonnais de ne pas avoir mal. Je devenais insensible. Ça me plaisait et en même temps ça me faisait peur. Je tâchais de revenir au livre. Mais je mordais la poussière, loin derrière Morane ou Rastapopoulos, seul à l'orée d'une forêt peuplée d'arbres insignifiants où étaient perchés des oiseaux au plumage invraisemblable. Lire ne me distrayait pas de la certitude de ma misère. Lire ne changeait rien à ce mystère qui m'effrayait : mon inexplicable présence dans la grande salle où chacun paraissait occupé à résoudre des énigmes qui ne me concernaient pas. J'étais distrait. On me le répétait tout le temps. Sans cesse mon attention déviait. À partir d'une mince cicatrice sur la nuque de François, le camarade assis devant moi, de la toux rauque de Jacques derrière moi, du reniflement obstiné de

Claude à mon côté, j'élaborais une fantasmagorie qui me bouleversait. J'assistais, dans l'ombre striée de soleil d'une grange que je n'avais jamais vue, à des empoignades féroces dans le foin. Des grognements fusaient, ça sentait la sueur, d'impassibles yeux de veaux luisaient dans le demi-jour. Soudain, je sautais dans la mêlée et luttais farouchement avec les gars. Un peu de mon sang coulait. J'écoutais mes cris, mêlés à ceux de Jacques, de Claude, de François. Je connaissais ces garçons depuis toujours, partageais depuis toujours avec eux un destin effronté, violent. J'étais enserré, écrasé, étreint, repoussé. J'étais lancé dans la paille, où je restais allongé à détailler mes bras lacérés d'égratignures magnifiques. Une langue de veau me léchait la face. J'étais épuisé, vaincu. J'étais content. J'avais été aimé sauvagement. Je m'étais conduit, moi aussi, en petit animal à dents et à griffes. J'avais perdu très peu de sang et beaucoup de solitude. Je soufflais, étendu dans le foin parfumé. Un rayon de soleil me caressait le ventre. Le couvercle d'un pupitre qu'on rabattait me tirait de mon bonheur. Je sursautais. Une main me secouait. Éberlué, je dévisageais Jacques, Claude, François — des inconnus finalement — et enfin le livre insignifiant ouvert sur mon pupitre. Je le refermais brusquement et j'allais le reposer sur le bureau du pion, qui baissait sur moi le regard noir de celui qui sait.

J'allais mettre quatre années encore avant d'aimer lire. Alors seulement je serais en partie sauvé. Durant quatre longues années, j'épellerais des phrases stupides, perdant le fil au bout de six mots grossièrement décryptés, les nerfs en boule à la fin de chaque paragraphe, découragé à l'idée d'avoir à traîner encore mes yeux sur le reste de la page où m'attendaient, au bout de cent insignifiants *pan-pan* de revolvers, des malfrats à la méchanceté suspecte et qui ne me faisaient absolument pas peur. Jamais, au cours de ces quatre années, on ne me mit entre les mains un vrai livre. Il me semble que j'aurais passionnément écouté la voix qui m'aurait appris que j'habitais, comme chacun, la métamorphose, que je vivais un peu au-dessus de mon âge, qu'il n'y avait pas de mal à ça, qu'il était normal que dans ma misère je sois inquiété au point de me croire parfois en danger de mort, que j'étais encerclé d'imbéciles qui ne savaient pas plus que moi comment commencer à vivre, et qu'un jour, que je ne pouvais pas prévoir et ne verrais sans doute pas venir, je cesserais de confondre mon enfermement avec le monde. Peut-être même saurais-je alors — tant j'allais aimer lire de vrais livres — trouver le moyen de composer, non plus sur des petits carrés de papier qui se défaisaient au fond de ma poche, mais sur une grande page blanche, des phrases à moi, où apparaîtrait, magnifique, ma douleur, au milieu de mes paysages consolateurs.

✳   ✳   ✳

Il a beau sourire en montrant toutes ses dents, je sais qu'il est le diable en personne. Latendresse : c'est le nom de notre maître de discipline. Un nom qu'il ne sait pas porter puisque que les gars l'appellent Ladétresse. La pièce où il me reçoit a l'austérité d'une cellule de prison. Pas un livre, pas un journal, pas une feuille de papier ne traîne sur son bureau — une petite table à peine plus grande que mon pupitre à l'étude. Derrière lui, accrochée au mur, une grande croix d'où pend un long christ ulcéré ruisselant d'un sang violet et qui m'adresse un sourire d'effrayante béatitude. Jamais Latendresse ne parle le premier. Il garde figé très longtemps son grand rictus carnassier, ses yeux globuleux restent fixés sur vous, allumés d'une phosphorescence démoniaque. Je finis par marmonner :

— Vous avez demandé à me voir ?

Il hoche la tête mais ses lèvres ne rompent pas la grimace qui donne froid dans les os. Je me répète : « Cet homme est probablement fou. Il cherche à me haïr, coûte que coûte. Pourquoi ? »

Il se lève et marche en direction de la fenêtre, qui donne sur un mur où grimpe une vigne noire aux entrelacs compliqués — je la vois encore parfois dans mes rêves. Il appuie sa main gauche, pâle et velue, contre le mur. Pour la dixième fois depuis tout à l'heure, je cherche à voir les stigmates. On raconte qu'au moment de l'élévation ses poignets suintent le sang, comme ceux de Jésus crucifié. Je n'aperçois qu'un bracelet de cuir, un boîtier de montre bien ordinaires. Sans se retourner, comme s'il ne s'adressait pas à moi mais au carré de ciel blanc, tout en haut de la fenêtre, il dit :

— Ne me dites pas que vous ne savez pas pourquoi vous êtes ici.

Je lâche un petit rire nerveux, fou, peut-être même pervers. Il se retourne si brusquement que sa soutane claque contre la table dans un bruit de fouet qu'on

34

abat. Je ne sais pas quoi lui dire. Je n'ai rien à lui dire. Il ne me lâchera pas, je le sais. Ses beaux yeux diaboliques restent plantés dans les miens. J'écoute battre mon cœur. J'ai la frousse et pourtant je suis repris par le fou rire, celui qui me vient quand on agit avec moi comme dans les histoires stupides que je lis toujours. Les gars disent : « Ladétresse fait du théâtre, c'est un malade. »

— Vous me décevez ! Vous me décevez beaucoup !

Je tente de suivre les serpentements compliqués de la vigne sur le mur d'en face. Je m'échappe par le haut de la fenêtre. Je flotte un moment sur un nuage en forme de bateau. Je suis dans la chaloupe avec papa, nous filons vers l'île de roches, le vent nous fouette la face.

— Où êtes-vous ?

Il a presque crié.

— Je suis ici.

— Non. Vous êtes ailleurs, toujours ailleurs ! Et c'est bien ça le problème !

— Mais…

— Taisez-vous !

Je me ferme le clapet et m'agrippe à ma chaise. J'attends. Je me répète : « C'est du théâtre. » Mais je ne sais pas ce que c'est que du théâtre. J'imagine un rideau qui s'ouvre et de grandes ombres hurlantes qui traversent à la belle épouvante une fausse rue peinte sur du carton. Je me demande ce que cet homme cherche à m'enlever, que je ne possède pas. Je suis énervé et en même temps engourdi. Je souris. Je sais que je souris. Je ne peux pas m'en empêcher, c'est nerveux. Latendresse s'impatiente. Il branle la tête, découragé. Ma bouche se crispe. Je tente de défaire mon sourire inconvenant. Peine perdue. Je dis :

— Je m'ennuie.

Il ferme les yeux. C'est peut-être la réponse qu'il attendait. Il s'apaise. Ses deux grandes mains caressent le bois noir de la table. Décidément, non, pas de stigmates sur ses poignets d'homme comme les autres. Rien que de longs poils noirs, on dirait des bouts de fil à pêche. J'aperçois soudain les mains de papa qui défont patiemment un nœud. Je pense : « Papa est impatient avec moi, mais avec du fil, de la corde, une porte qui ferme mal, un clou qui plie, une carabine enrayée, il prend bien son temps. Il besogne en sifflotant et ça peut durer des heures. Il a même l'air content de s'acharner comme ça, sur ce qui lui résiste. Alors qu'avec moi… »

— Vous êtes encore parti je ne sais où. Vos yeux… !

— Qu'est-ce qu'ils ont, mes yeux ?

Il ne répond pas. Je sais bien ce qu'ils ont, mes yeux. Certains matins, dans le miroir du dortoir, je les surprends braqués, non pas sur mon visage endormi, mais sur le décor du rêve, que ni la cloche ni l'éclat violent des lampes n'ont réussi à chasser. Je ne suis jamais là où je suis. Je ne pourrais pas, je deviendrais fou. De temps à autre, je m'ébroue, me secoue. J'attrape un mot lâché par le professeur, une image dans mon manuel d'histoire, des simagrées sur le tableau noir, un assourdissant accord d'orgue et je tente, avec ça, de revenir dans la classe, à la chapelle, avec les autres. Mais ça ne dure pas. Dans le bureau de Latendresse, je ne peux m'accrocher, me raccrocher à rien. Je rêve, je jongle. J'ouvre devant le prêtre deux grands yeux fascinés qui voient ce que nul autre que moi ne peut voir : l'aube rose sur la baie, les mains noueuses de papa, Jean-Pierre accourant au préau où je ne suis pas, maman qui étend mes vêtements sur la corde et qui chantonne, une pince à linge entre les dents.

— Vous avez des visions, c'est ça ?

Je souris encore. Je pense : « Non, je n'ai pas de visions. J'aperçois simplement ce que j'ai perdu, des visages à demi effacés et des choses mortes, que je n'arrive pas encore à oublier. Vous n'y comprendriez rien. Il n'y a rien à comprendre. Je suis hanté, vous ne pouvez rien y faire. Laissez-moi tranquille. »

— Répondez !

Je dis, élevant soudain le ton :

— Non, non, j'ai pas de visions !

Misère, je souris encore. Je sais que mon sourire est laid. Je serai puni. Tant pis. Ça aussi, avant de commencer, c'est déjà fini. Je suis déjà enfermé. Et puis j'ai toujours, au fond de ma poche, mon crayon et mes petits carrés de papier. Encagez-moi n'importe où, je pourrai toujours tracer mes mots, tirer sur mon fil, faire coulisser lentement mon décor. Je pourrai toujours faire, moi aussi, du théâtre.

— Je ne sais plus quoi faire de vous.

Je grogne :

— Ne faites rien, alors.

De nouveau j'attends. Ni claque ni cri. La cloche sonne, la cloche me sauve. J'entends un grondement de tonnerre. Ce sont les gars qui dévalent quatre à quatre le grand escalier.

— Allez rejoindre les autres. Mais sachez que je vous ai à l'œil !

Lentement je me lève, replace doucement ma chaise, tourne le dos à Latendresse et marche vers la porte.

Il est dix heures et demie du matin de je ne sais plus quel jour, quelle semaine, quel mois. Le corridor est désert. Le plancher brille comme de la glace. Je m'accroupis, délace mes chaussures, prends bien mon élan et me laisse glisser jusqu'au poteau de l'escalier. Ce faisant, je pense : « Cette rapide joie-là, je peux me la donner quand je veux. Contre elle non plus vous ne pouvez rien ! »

*　　*　　*

Les salles de classe étaient situées dans ce qu'on appelait « la nouvelle aile », une annexe moderne du vieux bâtiment sombre. Il y avait, à notre étage, une toilette dont on pouvait verrouiller la porte. J'y allais souvent. À tout moment je demandais la permission, on me l'accordait parfois et je m'enfermais dans cet étroit cagibi percé d'une fenêtre de verre givré, que traversait un grand soleil diffus. Je déboutonnais ma chemise, baissais mon pantalon et m'exposais longtemps à la lumière surnaturelle qui me voulait du bien. J'examinais mon corps et me caressais, dans la clarté blonde, ému par mon apparence adorable. Nu, je ressemblais vraiment à l'éphèbe du dictionnaire. Les ombres mouvantes des peupliers de la cour dessinaient sur ma peau des tatouages bleus comme ceux des cavaliers du désert. Je portais la main sur ces ecchymoses indolores qui transformaient les muscles plats de mes bras en biceps de guerrier, mon abdomen en doux ventre de fille. J'appréciais ma nouvelle allure d'animal hermaphrodite, éclairé par un soleil indiscernable et généreux. Je restais des heures à boire par tous les pores de ma peau le jour éblouissant, persuadé que je faisais le plein d'un contentement d'exister souverain, sans cause ni raison, capable de me faire durer un jour de plus. Je ne pensais à rien, n'imaginais rien, j'oubliais. Je me reposais. Mes mains faisaient affleurer mon sang qui prenait lui aussi la lumière. J'étais emporté dans une espèce de clair tourbillon immobile où je resplendissais. S'il existait un dieu dans cette enceinte, c'est ici qu'il était, caressant, imperceptible, omniprésent. Il me pardonnait tout et ne me demandait rien d'autre que de m'abandonner dans une fenêtre qui laissait passer sa grâce, sa lumière. Il m'adorait, sans jamais exiger que je me mette à genoux devant lui.

Malgré tout, je m'essayais parfois à l'adoration du dieu des autres, à la chapelle. Il fallait que je sois encore un peu endormi, que déjà je me sois un peu oublié. Il fallait aussi que je sois seul. Ce n'était possible qu'après que j'avais servi la messe et que le moine que j'avais aidé à se dépouiller de ses habits s'était retiré dans la sacristie. Je me laissais tomber à genoux sur le plancher de bois, croisais les bras, penchais la tête sur mon épaule et somnolais en écoutant pétiller la lampe du sanctuaire. Alors, parfois, le grand berger me parlait. Il avait une voix suave, qui imitait pour commencer l'alto grave du vent dans les pins. À cette musique-là, toujours, je me rendais. Les murs de la chapelle du collège, aussitôt, disparaissaient. Je me vidais de tout ce que j'avais été, de tout ce que j'étais appelé à devenir. Je n'étais plus que le beau chant triste du vent traversant les aiguilles. J'étais éberlué, j'avais un peu peur. Je levais la tête et dévisageais le crucifié mourant, là-haut, sur sa croix. Il ne me voyait pas. Ce n'était pas sur moi qu'était braqué son regard d'agonisant, mais sur la fresque du plafond, où dansaient trois anges, les bras enguirlandés de mots latins qui chantaient ses louanges. À voix basse, je lui demandais :

— Est-ce bien toi qui essaies de me parler ?

Il ne lâchait pas des yeux la banderole que tenaient ses anges. Au bout d'un long moment, sans ouvrir la bouche, il me répondait :

— Que la paix soit avec toi.

Aussitôt, je me raidissais.

— Tu sais bien que c'est impossible ici !

Son tendre regard pleurait du sang. Il disait encore :

— Tu ne sais pas prier.

Je suppliais :

— Apprends-moi !

Sa bouche se tordait. Il souriait ! Je voyais rouge, je me mettais en colère contre lui.

— C'est de ta faute ! Tout ce qui m'arrive est de ta faute ! C'est toi qui l'as voulu !

Je m'arrêtais, ému par ses larmes de sang, honteux de chicaner ce pauvre agneau couronné d'épines. Je frissonnais. Tout ça ne servait à rien. Je marmonnais :

— Je sais. T'as rien fait de mal toi non plus et on t'a puni. Dis-moi ce que je dois faire, je deviens fou !

Il se taisait. Le crucifié n'avait jamais rien dit, bien sûr, je le savais. Le fou rire me prenait. J'étais ridicule. J'attendais mon salut d'une statue qu'un homme, un jour, au fond d'un atelier, avait façonnée de ses mains. Je voyais l'artisan travailler au ciseau les blessures du roi des Juifs, peinturlurer en rouge son front, ses joues, enfoncer dans le plâtre de ses mains les mêmes clous que plantait mon père dans le mur de notre salon, pour faire tenir un rideau, un calendrier. J'étais seul. J'étais fatigué. Je m'allongeais sur le banc. J'espérais entendre de nouveau la mélodie chagrine du vent dans les pins. Mais non, rien. J'écoutais longtemps un silence qui me serrait le cœur. Je me relevais. Je quittais la chapelle sans un regard pour lui. J'étais seul. J'avais toujours été seul. Et j'étais païen. On ne pouvait rien y faire. Et puis on m'attendait à la salle d'étude.

*　　*　　*

Jean-Pierre a mis la main sur un journal, oublié aux toilettes par un externe.

— T'as vu ?

Le journal est grand ouvert sur le sol de terre battue du préau, ses coins retenus par des cailloux. Le texte est quasiment illisible, la page est trempée, souillée de boue. Je tâche tout de même de lire. Jean-Pierre se penche sur moi. Il ne déchiffre pas le journal mais mon visage. Il sourit exagérément. C'est à croire qu'il a déniché un écrit subversif, fondateur, ni plus ni moins que les lois dictées par Dieu à Moïse, ou bien les questions du prochain examen d'algèbre. Je détaille une grande photographie qui montre des hommes ressemblant à papa, à l'oncle Florent, à l'oncle Louis. Ils ont tous le bras droit levé au ciel et ils rient en montrant leurs dents. Sous la photo, je lis : *Il faut que ça change !* Ces hommes en complet-veston et cravate sont les révolutionnaires, pressés de faire sortir le pays de la grande noirceur. Je lis : *Maîtres chez nous ! À bas les vieux partis ! Fini le temps des moutons !*

— T'étais au courant ?

Jean-Pierre a l'œil trop clair. J'ai honte pour lui. Je dis :

— J'y crois pas.

Il soupire et se laisse tomber comme un sac sur le gravier du préau.

— Tu vas salir ton costume. On va encore te coller quatre heures de retenue.

Il grogne. Il tape du pied :

— Tu te rends pas compte ! Duplessis est mort ! Tout va changer maintenant ! Ces hommes-là...

— Ces hommes-là sont des hommes comme les autres. Regarde-les ! C'est mon père, ton père, mes oncles, tes oncles !

— Ce sont des réformateurs !

— Mon œil, oui ! Je les connais, figure-toi, tes réformateurs ! Ils ne rêvent pas, ils ragent ! Ce sont des loups. En bande, ils se croient forts. Mais ils ne vont rien changer, crois-moi ! D'ailleurs c'est impossible, tu le sais aussi bien que moi. Il est trop tard.

— Hier tu disais qu'il était trop tôt !

— C'est pareil.

Jean-Pierre se redresse. Son aile de corbeau bat au

vent. Il est si petit, si pâle, il a une dizaine d'affreux boutons sur les joues. Il ressemble à Rascar Capac, la momie des *Sept Boules de cristal*. J'ai feuilleté l'album hier soir au dortoir, avec Gérald. Je n'aime pas Gérald, mais il possède une lampe de poche. Il a de tout petits yeux de cochon et de grandes mains qui me cherchent sans cesse et parfois me trouvent. Pourquoi est-ce que je me laisse toucher par Gérald, alors qu'avec Jean-Pierre le moindre effleurement me tourmente ? C'est un mystère, un autre encore, auquel je ne veux pas penser.

— Tu me décourages.

— Vaut mieux que tu te décourages tout de suite, crois-moi !

Il secoue la tête. Il va pleurer. Je ne veux pas voir ça. Je tire mon mouchoir de ma poche et tente de nettoyer sa veste, son pantalon. Brusquement il se penche et ramasse quelque chose dans le gravier. C'est un de mes petits carrés. J'ai dû le déloger de ma poche en sortant mon mouchoir.

— Donne-moi ça !

— Laisse-moi le lire !

— Non !

— S'il te plaît !

Je dis, pour tenter de le distraire :

— On ne peut compter sur personne, toi et moi, tu le sais !

Il hoche la tête, grimace son pauvre sourire en coin et défroisse la boulette. J'ai à nouveau envie de le frapper. J'ai honte. Il va lire. Il va comprendre. Il aura pitié de moi. C'est insupportable. Je ne me rappelle plus ce qui est écrit sur ce carré-là, mais sans aucun doute ce sont des mots qui me trahissent. Je me méprise. Pourquoi est-ce que je cède sans cesse à ce besoin bête de lâcher mes phrases, à la manière du coyote en cage qui lâche ses feulements pour rien ? Pourquoi est-ce que je ne détruis pas, aussitôt composés, ces gribouillages imbéciles ?

> — *Tout au bout de la pointe*
> *je tiens la grande main du vent.*
> *Je suis attendu quelque part*
> *de l'autre côté d'ici.*

Il laisse tomber le morceau de papier et lève sur moi deux yeux parfaitement vides. La voix au fond de moi chuchote : « Il te faudrait du talent. T'en as pas. C'est triste. » Je tourne la tête et dévisage nos deux ombres égales sur le mur de pierre. Je n'ai plus honte à présent, je n'ai plus peur. Je n'ai plus rien. Il est trop tard, encore une fois. Les gars jouent au ballon-chasseur. On les entend à peine, ils sont si loin. Les rouges vont gagner, ou alors ce seront les bleus. C'est pareil. C'est comme la politique. Tous ces hurlements pour rien, leurs clameurs, mes poèmes insignifiants, les rouspétances de Jean-Pierre, les slogans dans le journal : « Il faut que ça change ! » Mais rien ne change, rien ne changera jamais. Nous venons de nulle part et ne sommes attendus nulle part, en avant, plus tard. Rien ne sert à rien. Le soir tombe. Je ne frissonne même pas. J'ai perdu conscience de l'air, du froid, du ciel déjà noir, de mon cœur qui a cessé de cogner, qui clapote dans sa vase.

J'entends le gravier qui crisse. Jean-Pierre se rapproche. Je l'avais oublié. Si je ne suis pas là, peut-être n'y est-il pas non plus ? Il glisse le bout de papier dans la poche de ma veste et pose doucement son menton sur mon épaule. Je ne dois pas pleurer. Il ne faut pas. Je dois lui échapper et courir, courir n'importe où, courir si longtemps qu'avant le point du jour j'aurai atteint la baie, où je me roulerai en boule sous mes Trois Pins, ayant tout oublié. Ça sentira l'eau, la sève, le jonc, la framboise d'automne. Non, il ne faut pas que ça change. Il faut simplement commencer à vivre. Ni moi ni Jean-Pierre n'avons commencé. C'est comme si on ne pouvait pas. Il y a d'un côté le rêve et de l'autre les complets-vestons, les cravates, les soutanes, les slogans, le grec, le latin, l'algèbre. Nous sommes enfoncés trop loin dans l'oubli. Nous n'en sortirons jamais, nous crèverons avant.

— Ça te ferait quand même du bien de pleurer un peu, non ?

Cette voix-là, zozotante, je ne veux pas, je ne peux pas l'entendre. Malgré tout je l'entends. Et alors quelque chose lâche au fond de moi. Quelque chose se déchire et saute dans l'air avec mon souffle. Après, ça va tout seul. Je laisse couler les larmes chaudes et salées sur mes joues. Il n'y pas de danger, il n'y a personne autour, il n'y a que Jean-Pierre.

*   *   *

Nous ne sommes pas allés chasser. La glace avait commencé à prendre dans la baie. Nous avons passé tout le dimanche à sortir du lac la chaloupe et le quai, à clapoter dans l'eau gelée sous le grand ciel blanc. Papa me donnait des ordres. J'obéissais. « Tire ! Pousse ! Pas trop vite ! Plus vite ! » Nous avons rentré puis rangé dans le hangar les canards de bois, les fusils, les bidons d'essence. À six heures, le soir est tombé d'un coup. Nous sommes rentrés, fourbus. Papa s'est endormi dans son fauteuil, et moi sur le divan, en face de lui, avec le chien. Et j'ai de nouveau fait le rêve, toujours le même. Je suis dans l'autobus. Nous approchons du village. J'ai le cœur gros. Les arbres sont rouges, le chauffeur sifflote. Voilà la rue, le bureau de poste, la pharmacie, la salle de quilles. Entre les branches nues du gros érable, le toit de notre maison, à moitié arraché. L'autobus ralentit. Le rideau de ma chambre vole au vent. Dans notre cour, l'herbe a poussé si haut qu'on ne voit plus les chaises du jardin. La véranda est envahie de grosses couronnes de fleurs, pareilles à celles dont on encercle le mort dans son cercueil. Plus personne ne vit là. Peut-être n'y ai-je jamais vécu moi non plus ? Il me semble, pourtant… Mais c'est trop tard, déjà nous avons dépassé la maison. J'aperçois le clocher de l'église, le quai, le traversier accosté, le grand miroir bleu du lac où rampent les nuages. L'autobus s'arrête. Je descends. Ma petite valise de carton me bat les cuisses. Ça ne fait rien, je cours. Le traversier va partir. Déjà on rabat les passerelles. Le cœur dans la gorge, je saute et laisse tomber ma valise, qui s'enfonce dans l'eau noire. Je suis épouvanté. Je suis content. C'est fini. Enfin, je pars. Je frissonne de partout. Je souris. Je ne peux pas m'en empêcher. Tournant le dos au quai, à l'église, au village, aux deux montagnes, je fends le vent, je fends la vague. Un tumulte bat dans ma poitrine. Je sais que je vais mourir, mais ça n'a pas d'importance. C'est fini.

Maman m'a réveillé. La petite valise attendait près de la porte.

— T'as manqué l'autobus. Ton oncle Louis va aller te reconduire.

J'ai dormi encore, dans le camion. Je n'ai pas rêvé. Latendresse m'attendait sur la première marche du grand escalier.

— Vous êtes en retard !

Sur les murs du corridor bondissaient une grande ombre dominante et une petite ombre dominée. Je pensais : « Si je suis mort, qui donc monte les marches, qui donc porte ma valise, qui donc traverse le dortoir, le visage mouillé de larmes ? Qui donc meurt encore, en tombant sur mon lit ? »

✳   ✳   ✳

Brodeur brandit fièrement le « drapeau », un simple manche à balai qu'il emporte au fond de la cour, filant à toute allure. Il en frappe les gars au passage, il rit comme une hyène. Je suis mort le premier, puis ç'a été le tour de Jean-Pierre. Nous nous sommes laissés tuer très vite, sans prendre trop de claques et de coups. Le soir fond ensemble les arbres et le ciel. On gèle, on saute sur un pied, sur l'autre, pour se dégourdir, on se tape dessus. Soudain tous les gars se lancent à la poursuite de Brodeur, qui détale vers le préau. J'attrape la main de Jean-Pierre. Elle est brûlante. Je

47

tourne mon visage vers le sien. Il pleure, mais peut-être est-ce le froid.

— Qu'est-ce que t'as ?

Il tremble, il claque des dents.

— Tu fais de la fièvre !

— Non.

— J'te dis que oui ! T'es brûlant !

— Non !

— Alors c'est quoi ?

— Je suis détraqué !

— Qu'est-ce que tu me contes là ?

Il se laisse tomber sur le gravier. Il allonge les bras et fait l'ange, dans une neige visible pour lui tout seul. Je crie :

— Arrête !

Il ne s'arrête pas. Je sais qu'il ne peut pas. Il est comme moi, au pire de mes déchaînements, quand je tourne et tourne sans pouvoir m'arrêter. Je me dis : « Il est possédé, lui aussi », et j'ai peur. Je m'accroupis et lui attrape les poignets.

— Arrête-toi !

Il roule sur lui-même, il m'échappe.

— Mais qu'est-ce que t'as ? !

Les autres sont au fond de la cour. On entend leurs cris, amplifiés par l'écho du préau. Je m'aperçois que je tremble, moi aussi. Il va se passer quelque chose. Non, il se passe déjà quelque chose, quelque chose de beau et d'effrayant. Le ciel noir, les branches nues des arbres, Jean-Pierre qui s'éloigne en roulant : je pressens à la fois le meilleur et le pire. Je pense : « Nos cœurs valent peut-être encore quelque chose, mais nos têtes ne sont plus bonnes à rien. » Étrangement, cette idée-là, nouvelle, stupéfiante, me remet d'aplomb. Je me lève et cours. Juste comme il va débouler la pente et se fracasser la tête contre le mur, j'arrête Jean-Pierre. Il fait le mort. Il souffle fort, étendu de tout son long. Il sourit.

— Ça fait du bien !

Je le secoue. Je ne sais pas ce que j'espère, je ne sais plus ce qui me terrifie. Je l'aime, et pourtant souvent il me dégoûte.

— Qu'est-ce que t'as voulu dire ?

— Hein ?

— T'as dit : « Je suis détraqué. »

Il se soulève, m'attrape par le cou, colle son front contre le mien. Sa bouche cherche ma bouche. Son haleine de veau à la fois me répugne et me soûle. Sa main fraîche apaise je ne sais quelle fièvre sur mon front, mes joues. Il colle tout son corps contre le mien. J'ai mal au cœur. Je le repousse. Il retombe et tout de suite se relève, s'agrippe à moi. Les gars hurlent, là-bas, au fond de la cour. Un grand cri à trente voix et qui entre en moi comme une lame. Je marmonne :

— Non ! Pas ça ! Lâche-moi !

Il rit et retombe. Je ne veux plus voir ses yeux. J'entends la voix de papa qui me murmure tristement à l'oreille : « C'est la brunante. » Je me laisse tomber à mon tour. Je m'allonge contre lui. C'est fini. Nous respirons ensemble, à grands coups, le regard perdu dans le ciel sans étoiles. Je dis :

— C'est vrai.

— Quoi ?

— Que t'es détraqué.

Il rit tranquillement et je ris avec lui, mais j'ai envie de pleurer. Je dis :

— Parle-moi !

— J'ai rien à dire.

— Parle-moi !

Il soupire. Je vois passer au-dessus de nos têtes le petit nuage gris de son souffle.

— D'accord. Je te parle. Mais t'aimeras pas ce que je vais te dire. Tu veux que je parle, alors je parle. J'ai toujours l'impression d'avoir de la boue dans la bouche...

— Non ! Pas ça !

— Tu veux que je parle, alors écoute ! De la boue dans la bouche, ou bien de la paille. Mon père est un habitant. Mes frères sont des habitants. Je suis venu au monde dans le foin, moi aussi. J'ai jamais aimé le foin. Je voulais partir au collège. À tout prix. Je savais pas. Je pouvais pas savoir...

— Savoir quoi ?

— Que ce serait comme ça. Une prison, une autre prison.

Il se tait. On dévisage toujours le ciel, chacun pour soi. J'attends. Je n'ai plus peur. Ses mots sont pour la nuit qui descend, ils ne sont pas pour moi. J'écoute quand même. J'écoute le silence où Jean-Pierre est tout entier, même quand il parle. Je me dis : « Lui et moi, c'est inimaginable, et rien n'est plus simple que l'in-imaginable... »

— Un jour, je me suis enfermé dans la laiterie. Je savais pas trop ce que je voulais faire, on aurait dit que j'allais être malade, que peut-être j'allais mourir. J'avais chaud. J'endurais plus ma salopette. Je l'ai ôtée. Je me suis déshabillé et je suis entré tout nu dans la cuve de lait. C'était frais, c'était blanc, c'était... bon. J'étais dans du beau lait blanc et frais. J'étais dans une espèce d'absence blanche qui me demandait rien. J'étais bien. J'attendais plus, je pensais plus. J'étais bien, tu comprends ?

— Et puis ?

— Et puis rien. Tu m'as demandé de parler, je parle.

La cloche sonne. On ne bouge pas ni l'un ni l'autre. On est bien. Je cherche puis trouve la main de Jean-Pierre. Elle n'est plus brûlante, elle n'est pas fraîche non plus. Je ne sais pas d'où me viennent les mots que je prononce à voix basse :

— Peut-être que toutes les pistes ont pas été piétinées...

Il rit et dit :

— Le détraqué, c'est toi !

Je ris à mon tour. On entend les gars qui se précipitent au pas de course vers la grande porte. Jean-Pierre dit :

— Quand j'étais petit, j'attrapais les chats et je les enterrais vivants dans le jardin. Je mettais un drap sur mes épaules, ça me faisait une chasuble de curé. Je prenais une vieille cannisse de peinture et je la promenais dans l'air, comme un encensoir, au-dessus de la petite tombe du chat, dans la boue... Tu vois bien que c'est vrai que je suis détraqué !

— Non.

— Non ?

— Non. Ou alors c'est dans ce qui nous détraque, tous les deux, qu'y faut chercher la solution.

— La solution à quoi ?

— Je pense que tu me comprends.

— Peut-être…

— Il faut qu'on y aille. Il faut qu'on rentre.

« Toutes les pistes n'ont pas été piétinées. » Je me répète ça pendant qu'on marche, tous les deux, dans le noir, main dans la main, jusqu'à la grande porte.

*　　*　　*

Il pleut. Il a plu toute la journée. Je suis loin de la fenêtre, mais qu'importe : je m'échappe, le vent m'emporte. Il n'y a pas un si long voyage à faire. Et puis, par la voie des airs, ça va vite. Je survole à toute allure la route que l'autobus met une éternité à parcourir. Une outarde, distancée par le troupeau, fait un bout de ciel à mes côtés. Ses ailes crépitent sous la pluie. J'aimerais tellement la chevaucher. Mais nous ne sommes pas dans un conte. D'ailleurs je ne crois plus aux magies qui m'ont si longtemps secouru. Et pourtant, je vole, je vole toujours, les bras allongés. Je fends l'air mouillé qui sent la fumée d'herbe. Soudain, j'aperçois les moutonnements des pins, leurs grandes ombres allongées sur le sable de la baie. Le soleil qui déchire les nuages éclaire toute l'anse. Je serai poète, je n'aurai pas le choix. Je suis outarde, ciel et vent beaucoup plus facilement que je ne suis apprenti homme, étudiant le grec, le latin et la soumission. Je pâtirai. J'endurerai, je suis prêt à tous les martyres. Une espérance obstinée me travaille. Je lisse du plat de la main une page de mon livre d'histoire. Ce qui compte, ce que j'aime, c'est cette bande qu'on me laisse, d'un pur blanc de neige, cette mince marge du texte qui est à moi, rien qu'à moi. Mes doigts agrippent le crayon comme l'assassin son couteau. Peu importe qu'il n'y ait pas de sens encore à ce que je tente. Le talent me viendra en cours de route. Et s'il ne me vient pas, tant pis, je m'éteindrai incompréhensible. C'est sans importance. Je regarde ma main. Elle n'écrit pas, mais tatoue le haut de la page, la lacère de signes fous qui ne sont pas les bons, pas encore, je le sais. Tant pis, ça viendra. J'aurai des milliers d'heures à tuer, j'apprendrai. J'ai envie de rire, car je pense : « Il sera bien éberlué, l'élément-latiniste de l'an prochain qui héritera de mon livre, quand il lira, page 128, en périphérie de la version intégrale du traité de Versailles, le compte rendu d'un jeune poète volant, une douzaine de vers indéchiffrables, encerclés de méchants coups de crayon imitant mal les hachures d'une averse dans un ciel d'automne connu de moi seul. Ce sera là ma pauvre gloire. À l'image de tout le reste, un malentendu, posthume celui-là et illisible. » Je souris. Je me dis encore : « Tu t'en moqueras ! Avec dix livres derrière toi, tu seras un auteur consacré. » J'ai grand besoin d'orgueil, de fatuité, d'immodestie. Je m'en gave à me donner mal au cœur. Puisque rien n'est possible, je me rue dans l'impossible, où je triomphe.

La cloche sonne, interrompant le grand œuvre. Le poète choit sur son pupitre. Je referme le livre, où figure désormais mon échappée belle, en marge du traité de Versailles. Je gagne ma place dans le rang, derrière

Lachance et devant Laprise. Second coup de cloche :
le cheptel se met en branle et marche au pas de l'oie
vers la chapelle.

Je coulerai cet examen d'histoire, c'est sûr. Mais
j'aurai volé, encore une fois. Je me serai échappé
jusque là-bas. Et j'aurai écrit. C'est toujours ça de
gagné.

* * *

Latendresse nous a surpris, Jean-Pierre et moi, à
fumer des cigarettes au fond du préau. Après nous avoir
gratifiés de son sourire carnivore, il a sorti de sa poche
une grosse boîte de cigares. Il nous a obligés à nous
adosser au mur et à fumer, d'affilée, chacun deux
cigares. Il restait là, planté devant nous, les bras croisés,
riant, grognant. J'ai regardé verdir Jean-Pierre qui m'a
regardé blêmir. On aurait dit qu'un grand feu avait pris
dans le préau et que nous allions sous peu périr
asphyxiés, tous les trois. Jean-Pierre a vomi le premier.
Une espèce de lave verte qui a souillé son costume.
Puis ce fut mon tour, une sauce jaunâtre et amère
comme du jus de rhubarbe. Je me dis : « C'est logique.
Il n'a mangé qu'une pomme et moi qu'une banane. »

— Vous avez l'air fin, là, hein ?

Latendresse a fait de grandes simagrées avec ses bras
pour chasser la fumée. Puis il nous a attrapés par le col-
let, le visage violet de dégoût.

— Allez vous changer au dortoir. Et que je vous
reprenne plus jamais à fumer !

Jean-Pierre est tombé comme une poche sur le gravier. Je me suis accroupi. Je voulais l'aider à se relever. Ladétresse a crié :

— Non ! Laissez-le pâtir, il l'a bien mérité !

Alors seulement j'ai senti monter la rage. Je me suis mis à quatre pattes. J'ai feulé de haine, la face dans mes mains. J'avais honte à mourir de hurler en sourdine, en cachant mon visage. Alors j'ai relevé la tête. Je voulais lui montrer comme il faut mes yeux assassins. Mais il était déjà parti. Je l'ai aperçu qui courait derrière un ballon, encerclé par une douzaine de gars qui, les poings sur les hanches, le regardaient besogner tout seul. Je me suis relevé. J'ai baissé les yeux sur Jean-Pierre. Le menton barbouillé, il souriait. Il a levé le bras très haut au-dessus de sa tête et il a crié :

— Y faut que ça change !

Puis il a éclaté d'un rire maboul qui d'abord m'a fait peur, puis j'ai explosé à mon tour. À genoux dans le gravier, on a ri, on a revomi. On a pleuré. C'était bon. Quand ça s'est arrêté, on a retrouvé ensemble l'écœurement, la honte. Il est parti le premier. Je l'ai vu retirer sa veste, la rouler en boule et courir vers la grande porte en la tenant serrée contre son ventre. Et j'ai pensé à cette gravure, aperçue le matin même dans mon manuel de grec : Andromaque, berçant son enfant assassiné, encerclée par des soldats rieurs.

Je me suis nettoyé avec mon mouchoir. Je l'ai refourré, tout gluant, au fond de ma poche. Et je suis rentré.

*   *   *

Je n'aimais pas jouer avec les autres. Je ne jouais jamais à rien. Je me perchais sur l'appui d'une fenêtre et contemplais le ciel noir, espérant follement l'été ou la neige. Ou alors je m'asseyais par terre et m'adossais au mur. Les mains sur mes oreilles, je tâchais de changer les hurlements des gars en bramements de chevreuil, en gloussements de perdrix, en criaillements d'oie. C'était compliqué, cette conversion des éclats de voix en clameurs, en appels émanant de la baie. Mais souvent ça marchait.

Ce jour-là, quand, au son de la cloche, j'eus dégagé mes oreilles et ouvert les yeux, il n'y avait plus personne dans la grande salle et la neige tombait. J'étais exaucé par le ciel et abandonné par les autres. J'étais perdu. Où me fallait-il aller maintenant ? Je n'en avais pas la moindre idée. On avait oublié dans la cour un prisonnier qui ne pouvait pas s'échapper. Je pouvais rêvasser encore, prolonger ma dérive, jusqu'à ce qu'on me surprenne et m'expédie au réfectoire, en classe ou à la chapelle. Je me levai et fis lentement le tour de la salle. J'étais toujours ce détenu qu'on a planté là et qui tourne en rond dans sa cellule déserte, percée de fenêtres sans barreaux où tourbillonne la première neige.

C'est alors que j'aperçus un livre qui traînait sur la table de Mississipi. Un vieux bouquin à la couverture déchirée qui montrait, sur un fond jaune sale, la silhouette compliquée d'un arbre. Un pin. Je pensai même : « Un pin rouge. » Le livre était posé pages contre la table. Je me mépris d'abord sur son titre, qui promettait une histoire à l'eau de rose, mariant le prénom d'une jeune fille innocente à la montagne que je connaissais : *La Flore laurentienne*. Je soulevai précautionneusement le gros livre et fis tourner les pages. Des dessins, des esquisses, des profils d'arbres et de ramures, des images de fruits, encerclés de mots et de chiffres, des épines acérées, des squelettes de fleurs, des épis velus, des troncs écaillés. Je me dis : « Encore un bouquin bourré de choses mortes. » Mais déjà j'étais aguiché. Ces calices, ces folioles, ces ombelles, ces fruits noirs et charnus, ces corolles en entonnoir, ces étamines fières, il me semblait les reconnaître. Il m'arrivait de les fouler du talon dans les sentiers de la baie. Parfois j'arrachais une de ces tiges-là d'un coup sec et me la fourrais entre les dents. Elle lâchait un jus sucré qui m'encourageait à siffler. Plus je tournais les pages et plus je ressentais une parenté, une sorte d'appartenance mystérieuse : peut-être étions-nous de même lignage, ces poils urticants, ces fleurs pistillées, ces feuilles pétiolées et moi. J'écris « urticants », « pistillées », « pétiolées », mais ces appellations-là ne me disaient rien encore. Je les déchiffrais sans comprendre. Le cœur accéléré, je cherchai puis trouvai le pin rouge. Il était si maladroitement dessiné que je ne le reconnus pas et le pris d'abord pour l'un de ces buissons insignifiants qui bordaient le préau. Je lus : « Distinctement héliophile, le pin résineux ne peut supporter l'ombre des autres arbres : il doit dominer ou disparaître. » C'était bien lui, c'était le fier pin rouge que je connaissais et qui, comme moi, devait dominer ou disparaître. Je lus encore : « Son bois est odorant, léger et réfractaire à la pourriture. » Je voyais bien l'arbre aimé. Mieux encore, je respirais le parfum balsamique de sa chair imputrescible. Avec ces mots-là, bientôt, je ferais des petits poèmes végétaux, ligneux, âpres et odorants, à la sève immortelle. Je me découvrirais frère jumeau du rhizome rampant, du limbe ové. Je parlerais moi aussi cette langue élaborée et persistante du monde vivant. Un jour, faute de rejoindre les hommes, je me ferais comprendre de la fougère de grande taille, de l'ortie hermaphrodite et du bouleau à papier. J'en étais à négocier avec l'auteur, le frère Marie-Victorin, les conditions de mon admission au paradis de la flore laurentienne quand j'entendis des pas derrière moi. Vivement, je refermai le gros livre. Je me retournai, tenant serré contre ma poitrine l'ouvrage capital. Déjà, j'avais peur qu'on me l'arrache.

— Tu t'intéresses à la botanique ?

C'était Nelson Desruisseaux, un grand maigre de Versification à la tignasse rousse, affublé de grosses lunettes noires aux verres épais comme des culs de bouteilles. Il ne parlait pas, il bêlait, la voix haut perchée, en se tortillant les mains comme s'il essorait une invisible guenille. Les gars l'avaient surnommé « le tordeur ». Dans son dos, chacun contrefaisait son pas guindé et se tire-bouchonnait les doigts en prenant un air supérieur.

Désignant du menton le gros livre que je tenais embrassé comme s'il était à moi, Nelson dit :

— Si tu veux, je te le laisse jusqu'à demain.

Ainsi donc, le gros livre était à lui. J'allais devoir le lui rendre, m'en séparer. Je devais montrer un masque épouvantablement dépité, car tout de suite il dit :

— Pourquoi tu viens pas au local, demain après-midi ?

— Au local ?

— Les Jeunes Naturalistes. C'est au quatrième étage du vieux bâtiment, en face de la préfecture.

— Euh…

— Viens et apporte le livre avec toi !

Déjà il me tournait le dos et gagnait la porte. Je me dis : « Le destin peut changer si vite ! » Mais je restais planté là, serrant toujours le gros livre contre moi. La main sur la poignée de la porte, Nelson s'arrêta, tourna la tête vers la fenêtre et entonna, la voix dans les hauteurs :

— *Ah, mon beau rêve blanc…*

Il éclata d'un drôle de petit rire, imitant la criaillerie d'une clôture de broche malmenée par le vent. Puis il disparut dans l'ombre du corridor.

* * *

Le soir descend enfin. La sentinelle essaime sa fausse lueur de lune dans la cour. La gadoue piétinée, les longues ombres des poteaux, les bandes de la patinoire dressées autour de cette radiance surnaturelle de la première neige : l'heure bleue, ce soir, ne me décourage pas. C'est que le gros livre est ouvert devant moi, m'apprenant que l'amélanchier, qui pousse en bordure du préau, croît également sur les bords du lac Michikamau, au centre de l'Ungava et que le genévrier qui s'étiole au pied du grand escalier n'arrivera à maturité que le troisième automne après sa floraison. Je me dis qu'il y a de l'espoir pour moi. J'apprends que le hêtre qui se profile dans la fenêtre de l'étude gardera tout l'hiver ses feuilles tenaces, réduites aux seuls réseaux de leurs nervures « en squelettes de parapluies ». Je découvre qu'existe, sur une rive lointaine du Saint-Laurent, où je me rendrai quand on m'aura remis ma liberté, la gentiane, qui doit son nom à Gentius, roi d'Illyrie. Jadis le souverain recouvra, grâce à la fleur bleue, « de nouvelles forces pour continuer ses guerres ». C'est, lisant, détaillant les gravures, exactement ce que je fais : je recouvre des forces nouvelles pour continuer mes guerres.

Je compose, ce soir-là, mon premier vrai poème, assemblant les puissants mots du gros livre et ma petite émotion de survivance.

> *Rouge à maturité*
> *À saveur résineuse*
> *Boréal*
> *Altier*
> *Résistant*
> *J'existe quelque part en Amérique*

* * *

Nelson marche si vite que je cours derrière lui. Il marche en se tordant les mains et il parle sans finir. J'entends sans comprendre. Peut-être comprendrai-je tout à l'heure, à l'étude. J'aurai le temps de réécouter, de déchiffrer ses énigmes. Il dit :

— Il faut faire semblant de prendre le parti de ce qu'on veut faire de nous. C'est le seul moyen de leur échapper...

— Mais...

— J'ai pas fini ! Et on a pas beaucoup de temps ! Il faut pas essayer de comprendre. Il faut s'en tenir aux faits. En essayant de comprendre, on altère les faits. La souffrance existe, un point c'est tout. Il n'y a pas vraiment de coupables, tout s'enchaîne, tout s'équilibre…

— Tu vas trop vite !

Son discours se déroule tout seul, à toute vitesse, comme passent les arbres, les poteaux, les gars et, là-haut, les nuages que pousse le vent.

— Chacun a un démon en soi. Mais tous nos cris, toutes nos larmes ne valent pas une minute d'attention, d'étude…

— Pourquoi tu me dis tout ça ?

Il ne répond pas, il continue à s'adresser aux nuages, aux chênes, aux joueurs de volley-ball, aux murs gris.

— Les créatures sans défense séduisent les cruels, méfie-toi ! D'ailleurs, je te protégerai. Les fauves ne t'attaqueront pas…

Je lui attrape le bras. Mais il ne s'arrête pas, il me tire, il me traîne.

— Consentir à paraître bête n'est pas difficile. C'est même amusant, tu verras.

— Quoi ?

— Et puis on ne meurt pas d'une crise de nerfs. C'est par pure bonté que la nature a gratifié les enfants de nerfs comme les tiens. Tu verras. Il s'agit simplement de pas se duper soi-même et de ne pas raisonner sur tout ça…

— Tu veux pas qu'on s'arrête, là, dans le préau ?

— On nous verrait trop. Quand on se cache, ils nous trouvent. Ça aussi, tu devras l'apprendre !

— T'es marteau !

— Non. Je suis intelligent. Et je m'intéresse à toi. Écoute-moi : tu dois aimer la vie et non pas le sens de la vie. Aimer ton existence sans raisonner. Tu es trop pressé de te sauver, alors que t'es pas vraiment perdu...

— Pourquoi tu me parles comme ça ?

— J'ai mes raisons. Et puis t'en as besoin. T'as une tête de cible et ça peut t'attirer des ennuis.

— J'ai une tête de cible ?...

— Regarde le ciel, les nuages, les branches des arbres qui obéissent sans comprendre ! À quoi bon avoir mal ? Il faut attendre, c'est tout. Moi j'attends, facilement. Tu attendras toi aussi. Tu verras, c'est pas la mer à boire...

La cloche sonne. Aussitôt Nelson fait volte-face. Il marche à grands pas chaloupés vers la porte. Je reste là, à l'écouter de loin, car il parle toujours, adressant son monologue aux arbres, au filet de volley-ball, à ses mains qui battent l'air devant lui, au ciel qui rougit. Je suis éberlué. Je pense : « Je dois être aimé par un garçon comme lui. C'est mon destin. Et puis c'est plus prudent... » Je lève la tête et je respire trois grands coups avant de prendre mes jambes à mon cou.

✳   ✳   ✳

J'attends Jean-Pierre, qui rencontre sa famille au parloir. Tout à l'heure, j'ai vu arriver son père, en salopette et chemise à carreaux, et sa mère, en manteau et chapeau de chat sauvage, les bras chargés de pots et de sacs. Et aussi deux garçons blonds, en parka de laine, qui ouvraient sur les fougères pleureuses du parloir les yeux bleus de Jean-Pierre. Je suis resté un moment planté sous l'arche du portique, à épier leurs embrassades malaisées, me répétant : « Il vaut mieux pas de visite du tout qu'une visite guindée comme celle-là. » Lorsque Jean-Pierre a levé sur moi son regard de chien battu, j'ai tourné les talons.

À présent, j'erre dans le grand hall d'entrée. Je m'exerce à imiter le long pas d'échassier de Nelson. Comme lui, je me tords les mains et tente de grimacer ce sourire sans joie que Nelson appelle sa « risette passe-partout ». Il prétend qu'on apostrophe à tout moment les traînards et les rêveurs, alors qu'on laisse tranquille celui qui va droit son chemin, à bonne allure, en affichant le contentement béat de « l'élève qui fait son possible ». La vitre d'une grande photographie accrochée au mur me sert de miroir. Je parade, sans me lâcher des yeux, m'efforçant à la démarche bon élève et au gloussement œcuménique. Soudain, je m'arrête : au beau milieu de la mosaïque, une minuscule photographie ovale, couleur thé très fort, montre le très jeune visage de grand-père Joseph. Il ne sourit pas. On dirait même qu'il a pleuré ou qu'il va le faire. La lippe est boudeuse, les yeux sont enfoncés loin dans leurs orbites. Il est encerclé de visages pâles, affichant tous ce sourire béat que depuis tout à l'heure je tente d'imiter. Tout en haut, sur la passementerie, en chiffres romains : 1891-1892. J'ai les yeux qui brûlent. Mon cœur s'est arrêté. D'une seconde à l'autre je vais perdre connaissance. Je tourne le dos à la photographie et me laisse tomber sur le plancher. J'ai mal au cœur. Je revois grand-père. Il est vieux, il est fatigué, c'est à peine s'il peut tenir debout. Depuis quelque temps, il a toute la tristesse, toute la colère du monde dans les yeux. Il m'a fait demander. Il est assis sur le banc du jardin, à l'ombre des épinettes. J'approche lentement. Sa tête blanche fait non, non et non, tandis que sa vieille main tapote la place libre à côté de lui, sur le banc. Je m'assieds docilement, évitant d'attraper son regard de grand malade découragé.

— Tant que je serai en vie, tu mettras pas les pieds dans ce collège-là, tu m'entends ?

Il ne parle pas, il tonne, il gronde. Sa voix est prise dans une espèce d'orage qui, je le sais, va bientôt éclater sur moi. Je pense : « Ne meurs pas, grand-père, pas maintenant ! » Je pose doucement ma petite main lisse dans sa grande main raboteuse. Il m'écrase les doigts. Étrangement, je n'ai pas mal. Je suis fier d'être celui que grand-père a choisi pour lâcher sur lui son courroux. Je sais qu'il s'emporte pour moi. Que ce n'est pas contre moi, mais contre papa, maman, les oncles, les tantes et aussi les curés qu'il se déchaîne.

— Y font mine de t'instruire et y te volent ton destin ! Tu finis par n'être plus chez toi nulle part, ni parmi les tiens, ni entre leurs murs. Alors y'a plus de vie. Y'a plus de vie du tout. Et ça se rattrape pas ! Ça se rattrape plus jamais…

La patte d'aigle de grand-père lâche subitement mes doigts. Ma main n'est pas libre pour autant. Je comprends qu'elle ne peut plus l'être, qu'elle ne le sera plus jamais. Je suis attrapé, il est déjà trop tard. Je veux crier, mais ma voix est prise dans une guenille salée qui m'emplit toute la bouche.

— Je veux pas que tu meures, grand-père ! Pas tout de suite !

Mais je sais que grand-père va mourir, et aussi qu'on va me prendre ma vie. Ils auront le champ libre. Au cimetière, je ne pleurerai pas. J'aviserai d'un dur regard de statue les vieilles tombes, refusant de baisser les yeux sur la boîte où on l'aura enfermé. J'entendrai seulement le cercueil descendre dans le trou. Je me répéterai : « On a volé sa vie à grand-père et à présent on va me voler la mienne… »

On me secoue l'épaule. Je lève le bras comme si je cherchais à me protéger d'un coup. Jean-Pierre est là, devant moi, l'air guilleret, des paquets plein les bras.

— Qu'est-ce que tu fais là, assis par terre ?

— Rien.

— Oh non, pas rien ! T'as ton fameux air de « tout est fini avant d'avoir commencé » !

— Ah oui ?

— J'te le dis !

— Attends !

Je me relève et lui agrippe la main. Il tire, résiste.

— Quoi ? Qu'est-ce que tu veux ?

— Je veux te montrer quelque chose, mon cher « Y-faut-que-ça-change » !

Il ramollit un peu. J'en profite pour le traîner au centre du grand hall, d'où l'on peut apercevoir, en enfilade, les soixante-quinze tableaux affichant les têtes de tous les diplômés du collège.

— Qu'est-ce que tu vois ?

— Le corridor.

— Non ! Sur les murs !

— Je sais pas ! Des photographies ?

— Et qu'est-ce que tu vois sur ces photographies ?

— Ben… tous les anciens du collège, non ?

— Très bien. Parfait. Et qu'est-ce que ça te fait de les voir, tous alignés comme ça, bien encadrés, tous ces décédés immortalisés, avec, sous leurs portraits, les dates de leur mort, en beaux chiffres dorés ?

— Veux-tu me dire ce qui te prend ?

— Réponds !

— Crie pas comme ça ! Tu vas alerter Ladétresse !

— Réponds-moi !

— Mais rien ! Ça me fait rien du tout !

J'attrape son visage blême. Mes mains tremblent.

— Ils sont morts et on va mourir aussi ! Tu comprends ?

— Non ! Lâche-moi !

— Tous ces gars-là sont morts, j'te dis !

— T'es fou ! Y sont avocats, médecins, prêtres, politiciens…

— C'est ce que j'te dis ! Et tes fameux révolutionnaires sont parmi eux, y'a pas de doute ! Morts, eux aussi ! Il ne peut pas y avoir de révolution, vois-tu ! Les morts ne peuvent pas faire la révolution. Les morts ne peuvent rien changer à rien !

— Arrête, tu me fais peur !

— Mais je dois te faire peur ! Y faut que t'aies peur ! Y faut avoir peur, tu comprends, une peur bleue ! Et y faut sortir d'ici au plus vite, tandis qu'il est encore temps !

— Où vas-tu ?

— Suis-moi !

Je m'élance vers la grande porte, qui bien sûr est fermée à clef. Je tire, pousse, secoue la poignée, frappe à coups de poing, à coups de pied.

— Arrête ! !

Jean-Pierre me fait une prise de lutte par-derrière. Je me secoue, lui échappe et me mets à tourner en rond dans le hall. Je ne vois plus Jean-Pierre, je ne vois plus le hall ni les photos des anciens. Je vois Hector, le chat sauvage qu'un jour j'avais attrapé et encagé dans la cour et qui tournait en rond dans sa cage, lâchant une méchante puanteur d'huile à moteur. Je ne peux pas m'enfuir. Pour moi, il n'y a nulle part où aller. Alors je me mets à tourner. Je tourne à me donner le vertige. C'est mon théâtre à moi, cette furieuse dépense d'énergie en pure perte, ce simulacre d'exode, cette déroute, ces circonvolutions sur moi-même. Ça ne sert à rien et pourtant c'est nécessaire. Il s'agit de ne pas me laisser mourir étouffé par ma rage, ma peur, ma honte. Je m'étourdis, furieusement. On dirait que je me punis d'être malgré moi ce que je suis, de voir malgré moi ce que je vois, de penser malgré moi ce que je pense. Je me soûle d'impasse, d'impudence, de détresse, à me rendre malade. Il faut que mon corps s'épuise. Il faut que j'aille jusqu'au bout de cette espèce de folie qui me ravage et du même coup me soulage. C'est la seule façon de ne pas céder. Mais céder à quoi, à qui ? Je ne le sais pas. À la maison c'est pareil : dans la cuisine, je tournaille, personne ne peut m'arrêter. Je me fuis ou me poursuis, en me répétant : « Je finirai par trouver la sortie, ou alors je me rattraperai, je m'immobiliserai de force. » Il n'y a plus que moi, j'existe seul dans mon remous. Maman me supplie de m'arrêter. Papa crie :

— Il est comme un drogué qui a pas eu sa dose !

Ils ne comprennent pas. Je ne peux pas m'arrêter. Pas avant la fin, qui survient toute seule, quand le souffle me manque et que la cuisine redevient la cuisine. Le coin du poêle m'assomme et le sang sur mes mains m'arrête : c'est fini. Roulé en chien de fusil sur le prélart, je ne suis plus enragé, je ne suis plus fou, je ne suis plus rien. Le chien me lèche la face. J'ai honte. Je n'ai plus de forces mais je n'ai plus peur, c'est fini. Jusqu'à la prochaine fois.

Jean-Pierre se penche sur moi.

— Je pense que tu viens de faire une crise d'éclepsie !

— *Épilepsie* ! Mais non, t'inquiète pas. Maintenant, ça va aller.

— Pas question ! T'es malade ! Je t'emmène à l'infirmerie !

C'est toujours comme ça, après. Les autres se plantent devant moi, l'air éberlué, charitable, comme s'ils venaient d'apercevoir le diable qui par mégarde aurait pris mon visage, mes bras, ma voix.

— Viens, suis-moi !

C'est fini. Avant d'avoir commencé, c'est fini, une fois de plus. Fuir ? Pour aller où ? Dehors, ici, à l'infirmerie, c'est pareil. Nulle part je ne pourrai relever de ma faiblesse qui est une maladie mortelle. Et puis je sais mimer parfaitement la fièvre et les convulsions : à l'infirmerie, on me gardera, c'est sûr.

* * *

La fièvre me donnait des visions. Je voyais grimper, dans les entrelacs de la vigne que j'avais aperçue dans la fenêtre du bureau de Latendresse, une théorie de lettres et de chiffres, de formules et de locutions qu'il me fallait à tout prix tirer au clair, sous peine d'être entraîné dans les irrévocables enchevêtrements de la folie. Je trempais mes draps, que le moine infirmier changeait deux fois par jour. Le vieil homme s'asseyait sur le lit voisin — les craquements du sommier me semblaient être ceux de ses vieux os qui se cassaient — et me faisait boire un sirop amer comme du jus de radis. Il débitait, la main sur mon front, les Ave et les Pater qu'on m'avait forcé à réciter, à genoux, au pied du lit où grand-père se mourait. J'allais sans doute trépasser à mon tour, rejoindre grand-père dans les limbes. Je perdais le souffle, aspiré par un vertige qui emportait avec moi les violences des hommes et toutes les merveilles du monde. Tout disparaissait en même temps : le soleil, la nuit, l'indifférence bleue du ciel, la colère des orages, le museau amoureux de mon chien, la gueule grande ouverte du loup, les pins royaux de la baie, la main chercheuse de papa, les carcasses sanglantes des canards, le regard mouillé de Jean-Pierre, le sourire d'hyène de Latendresse, ma vie. Un maelström m'emportait et je suffoquais du désir d'en finir, pour enfin pouvoir me reposer, sans plus exister, dans un néant où je ne verrais plus rien, ne sentirais plus rien, n'espérerais plus rien. Brusquement ça s'arrêtait, pour ainsi dire en pleine avalanche. J'étais de nouveau forcé de désirer, d'espérer, d'attendre. J'étais lâché au pourtour de l'effondrement, dans une espèce de zone dormante, où je planais, reprenant un peu de force, le cœur dangereusement ralenti. J'ouvrais peureusement les yeux. Le moine était parti. Je toussais à m'arracher les bronches et crachais une espèce de gruau qui avait le goût du sang. Dans la fenêtre virevoltait une petite neige de Noël. Sur le lit, près du mur, gisait un gars que je ne connaissais pas, un grand dont les pieds dépassaient du matelas. Il toussait, lui aussi, à fendre l'âme. Ça me tranquillisait. J'étais tout bonnement enrhumé. J'allais guérir. J'allais de nouveau vivre. Aussitôt, je me désespérais : il me faudrait reprendre mon chagrin où je l'avais laissé.

Je tentais de me lever. Il me fallait absolument me traîner jusqu'à la cabine téléphonique, tout au bout du couloir. Je ne savais pas au juste ce que j'espérais. Dans le brouillard de la fièvre, je décrochais le combiné, composais le numéro et hurlais : « Venez me chercher, je vais mourir ! » Je restais longtemps à écouter le ronronnement lointain du poêle de la cuisine, les soupirs de mon chien, les larmes de maman, les grommellements de papa. Ils ne m'avaient pas entendu. Ils ne pouvaient plus m'entendre. Ils m'avaient définitivement abandonné. L'écroulement recommençait de plus belle. Comme elle était longue à traverser, cette houle qui séparait la vie de la mort ! Mais non, je n'allais pas mourir. On ne mourait pas de mort naturelle à mon âge. Oui, j'allais mourir. On pouvait mourir dans la fleur de l'âge, ça s'était vu souvent. Alors que je commençais à me résigner, à tomber mollement, à sombrer avec une insupportable lenteur, mon cœur accélérait à me fracasser les côtes : là, dans les entortillements compliqués de la vigne, battaient au vent d'hiver mes pauvres bouts de papier, mes mauvais poèmes, ils allaient bientôt se décrocher, s'envoler, atterrir comme la neige sous les pas insouciants des marcheurs qui les piétineraient sans les lire. Posthume, je serais insignifiant, absurde, comme avant ma mort j'avais été dissipé, sans talent. Il m'aurait fallu vivre encore et combattre, me prolonger, durer, travailler, mépriser mon passé, ne songer qu'à l'avenir, forger obstinément l'œuvre, lui laisser prendre toute la place de la vie qui m'était cruellement refusée. J'avais cédé trop vite ! Je voulais revenir, remonter le cyclone, puis redescendre sur mon lit, subir docilement la grippe, empoigner farouchement la perche que me tendait l'ange raisonnable qui m'ouvrait les bras et me promettait la gloire, en échange d'une toute petite journée d'endurance. Mais il était trop tard : je dormais pour toujours.

Le soleil me réveillait. Il était onze heures du matin ou trois heures de l'après-midi. L'hiver avait avancé, ou reculé : la croûte de neige était survolée d'herbe jaune, les branches paraissaient étoilées de bourgeons. J'avais été mort toute une saison. J'étais épuisé, mais content : j'avais sauté par-dessus des centaines d'heures de classe et une douzaine d'examens. Je ressuscitais à la fin, ou peut-être au commencement de je ne savais quelle durée miraculeuse. Un nouveau semestre m'attendait. Le temps me serait peut-être enfin favorable. Je m'étais désespéré trop vite. Je toussais un bon coup et refermais les yeux, bercé par le bourdonnement du calorifère.

Soudain, Jean-Pierre était debout au pied de mon lit. Il me faisait ses yeux doux et me racontait, sans reprendre son souffle, les frasques des uns et les facéties des autres, au dortoir, à la chapelle, au réfectoire. Brodeur avait été mis au pain sec et à l'eau pour avoir dessiné à la craie un grand sexe de femme poilu sur la porte de la chambre du pion. Lefebvre avait pleuré six nuits d'affilée et on l'avait renvoyé chez lui, le chanceux. En classe, nous en étions à traduire Virgile et c'était coton. Je m'essayais à compter les semaines qu'avait duré mon éclipse. Très vite je lâchais prise. Ça n'avait aucune importance. Je fermais les yeux. Jean-Pierre parlait, parlait, et je voyais tourner à toute allure les pages du calendrier accroché au-dessus de la glacière, dans notre cuisine : un lapin dans l'herbe neuve, une cabane à sucre encerclée de neige fondante, un sapin illuminé, trois poulains dans un champ blond. À la fin je ne voyais plus rien. J'étais retourné dans mon dernier sommeil. J'ouvrais les yeux : les lits étaient de nouveau vides. J'avais chaud, j'avais soif. Croyant rêver encore, je voyais Nelson qui s'approchait de mon lit, brandissant un verre. Sa main sur ma nuque me réconfortait davantage que l'eau tiède qu'il me versait dans le gosier. Il me faisait rire en imitant ma dramatique face de convalescent. Apparemment, ma bouche n'était plus qu'une mince ligne morte, mes narines palpitaient à peine et mes yeux, bridés par la fièvre, touchaient mes tempes. Il disait :

— J'ai compris ton système ! Pas mal, pas mal, mon cher ! Il faut tout simplement se croire, c'est ça ? Et ensuite, ça va de soi, tous les autres vous croient ! Astucieux, mon cher ! Quel acteur !

Je riais. Il avait tort, il avait raison. À coup sûr, il me faisait du bien, il était là. Il s'amusait de ma maladie, de mon « système ». Il ne savait pas. Il n'avait pas besoin de savoir dans quel enfer j'étais descendu. Je disais :

— Toi, t'es parfait !

— Oh non !

— T'es parfait parce que t'es une surprise. J'ai rien fait pour te mériter. J'espère que tu resteras longtemps près de moi, sans avoir mal, sans avoir peur.

— Veux-tu m'arrêter ça tout de suite ! D'ailleurs, c'est la fièvre, tu délires !

— Non. Parler me fait du bien. Je voudrais t'aimer comme on aime un arbre ou un rocher. Sans écorcer tes branches, sans tailler ta pierre. C'est si difficile d'aimer longtemps, de pas saccager ce qu'on aime…

— On se la ferme, ici, le poète, et sur-le-champ !

— Tu me connais pas. Je détruis tout, je…

— C'est commode ! On est sûr de jamais se tromper en se condamnant soi-même ! Être offensé donne du plaisir, hélas. Je le sais trop bien. Et toi, tu te roules sur ton mal comme le chat sur sa souris morte.

— Je te suis pas toujours, tu sais.

— Normal, tu fais de la fièvre. Et puis t'es marteau.

— Non.

— J'te dis que t'es sonné !

La cloche sonnait. On riait. Nelson me quittait. Il marchait comme un automate jusqu'à la porte. La main sur la poignée, il levait la tête vers le plafond et chantonnait, sur l'air du *Tantum ergo* :

— *Il est sur le dos le sacramen-en-tum…*

Je me rendormais en riant.

Un matin, le vieux moine infirmier s'assit sur mon lit, m'attrapa rudement le bras et me déclara que j'avais fait une vilaine pneumonie, mais que j'en étais sorti. Il me fallait à présent reprendre — mais avec grande précaution — mon horaire d'élève « qui en a long à rattraper ».

— Je me sens si faible encore !

— Tut, tut, tut ! Vous êtes guéri !

Je lui demandai :

— Mes parents ne sont pas venus pour me voir ?

Il soupira.

— Ils sont venus, oui ou non ?

— Votre père est venu.

— Quand ?

— La semaine dernière.

— Mais…

— Le père Latendresse ne l'a pas autorisé à monter vous voir.

— Pourquoi ?

Il haussa tristement les épaules et disparut. De la chapelle me parvenaient les premiers accords d'orgue du *Kyrie*. Je me levai et fis un gros paquet de mes affaires. Avant de quitter ma chambre mortuaire inondée de soleil, je déboutonnai ma chemise, baissai mon pantalon et me caressai longtemps dans les bouillonnements d'or qui coulaient de la grande fenêtre.

*   *   *

Théodore a eu pitié du grand malade : j'ai eu la moyenne partout. Ça me laissait parfaitement tiède.

— Vous êtes revenu, c'est tout ce qui compte.

Il me souriait. Il me tapotait l'épaule. Il me complimentait au moindre adjectif bien accordé. Je me disais : « C'est ainsi qu'on congratule sur sa bonne mine le criminel adouci qu'on va d'un jour à l'autre conduire à l'échafaud. » J'étais revenu. J'étais perdu. Jean-Pierre me gratifiait à l'improviste d'un pâle regard découragé qui me faisait tout de suite prendre la mouche.

— Cesse de me regarder avec tes yeux de chien battu !

— On dirait que ça te met en colère d'être guéri.

— Peut-être.

— Je comprends pas.

— Y'a rien à comprendre. Passe ton chemin, c'est tout !

— Mais je veux t'aider !

— Peine perdue !

— Pourquoi t'es dur comme ça avec moi ?

Je ne pouvais rien lui dire. J'étais revenu et je m'en voulais de toutes mes forces. Il y avait, dans la mort où j'avais été, un allègement, une consolation, peut-être même une euphorie vengeresse. C'était inexprimable. Je n'avais pas encore appris les mots capables de décrire mon affliction, cet enfoncement dans une vase mouvante qui me tirait au fond. C'était une malédiction, ma malédiction. Elle ne concernait que moi, et qu'on me fiche la paix, qu'on me laisse tranquille. Je pensais souvent : « Vous n'avez qu'à me côtoyer comme vous longez l'orme dans la cour, qui ne peut pas davantage que moi raconter ses longues misères et ses courtes joies. » Je faisais mine d'écouter Théodore. De sa voix endormie, il comptait les morts sur un champ de bataille, à l'autre bout du monde et du temps. Par-dessus le texte de mon livre d'histoire, j'écrivais sans oser regarder ma main qui forgeait toute seule les mots :

C'est comme ça que ça marche et pas autrement. On renonce, on accepte. Et les autres vous lancent de ter-ribles regards de complices, « T'es là, toi, encore ? T'es revenu ? » Ils ne voient donc pas le sang sur ma fourrure de bête prise au piège ? Pourquoi ? Je souffre trop. Je rêve trop. Je suis en colère, j'ai honte. C'est comme ça et pas autrement…

Les mots tournaient sur eux-mêmes, comme je tournoyais, moi, dans le pire du désespoir. C'était comme ça, ça ne pouvait pas être autrement. Je baissais les yeux sur mon palimpseste, à moitié mon œuvre, à moitié celle de Lagarde et Michard. Je lisais :

Le traité signé entre François II et Charles VIII stipulait que c'est comme ça que ça marche et pas autrement et que le duc ne marierait ses filles qu'avec les autres qui vous lancent d'effrayants regards de complices, l'agré-ment du roi, le sang sur ma fourrure de bête prise au piège, il épousait Anne de Bretagne, je rêve trop, je suis en colère, faisant entrer la province de Bretagne dans le domaine royal.

Je me disais : « Ça me sauvera ! Un de ces jours, ces gribouillages-là signifieront quelque chose ! »
La cloche sonnait. Mon manuel d'histoire sous le

76

bras, j'entraînais Jean-Pierre au fond du préau et lui lisais d'un souffle la page folle. Il riait en branlant la tête.

— Y'a pas dix minutes, t'avais une face d'enterrement. Pis là, te v'là tout content, tout fou !

— C'est comme ça !

— Et pas autrement !

On riait. J'enfonçais sa tuque sur ses yeux et nous jouions à l'aveugle. Je le tirais par la manche et le sommais de décrire le plus précisément possible les surfaces, les textures qu'il effleurait. Il disait, frôlant du plat de la main la pierre du mur :

— C'est rude.

— Tu peux faire mieux ! Cherche ! Invente de belles épithètes !

Je jouais l'insatisfait, le méticuleux. Je le poussais dans ses derniers retranchements. J'étais impitoyable. Il marmonnait :

— C'est froid, c'est… râpeux !

Il riait. Je regardais monter dans l'air la vapeur de son rire. Ce contentement-là, il me le devait, il ne le devait qu'à moi. Il s'essoufflait, s'embrouillait, les mots lui faisaient vite défaut. Je volais à son secours, orgueilleux à crier : de nous deux, c'était moi le plus savant dans l'art de qualifier les choses. À ce jeu-là, le compétent, l'expert, l'incollable, c'était moi.

— Frustre, grossier, âpre, sauvage, rêche…

Il répétait après moi, et alors seulement je me montrais magnanime. Je lui arrachais sa tuque, ébouriffais son aile de corbeau et l'étreignais à la manière du roi qui fait chevalier son imbécile mais charmant écuyer.

La cloche sonnait. Adossés au mur, nous regardions les gars se précipiter vers la grande porte. Je disais, ma voix déprise de toute magie :

— Des moutons !

Jean-Pierre cherchait vaille que vaille à prolonger le jeu :

— Des agneaux, des béliers, des... bêtes à laine !

On ne riait plus. C'était fini. Je revenais, j'étais revenu. Nous n'étions plus des enfants. Nous ne le serions jamais plus. C'était fini.

— Tu sais, mon père est venu, mais Latendresse l'a empêché de monter me voir.

— C'est pas vrai !

— Et veux-tu savoir le pire ?

— Quoi ?

— C'est pas à Latendresse que j'en veux !

Juste comme la main de Jean-Pierre effleurait mon épaule, j'ai détalé dans la cour.

*   *   *

Ce dimanche-là, à peine entré dans la maison, mon manteau encore sur le dos, j'avance jusqu'à l'escalier, pose ma valise sur une marche, me laisse tomber sur une autre et répète encore une fois ma question :

— Pourquoi ?

Ils sont à table. Cette fois ils ne mangent pas, ils boivent. Ils ont commencé tôt, à cause de la tempête. Il a fallu pelleter la neige de l'entrée, déblayer la galerie, l'allée, dégager le camion. Mon oncle Florent et mon oncle Louis sont venus aider. Le whisky blanc donne du cœur à l'ouvrage. Mes tantes ont fait à manger avec maman, dans la cuisine. Elles sont énervées. Elles gloussent, s'esclaffent pour tout et pour rien. L'autobus a mis quatre heures à atteindre le village. Je n'aurai donc que trois heures à passer avec eux. Mais c'est assez. C'est peut-être même trop. Puisqu'ils ne m'ont pas entendu, je hurle :

— Pourquoi ? ! !

Papa me tourne le dos. Il verse à boire à la tablée. J'ai crié dans le désert, comme Jean-Baptiste. Malgré moi, je souris, et c'est comme si on me tranchait la bouche avec un couteau. Ils lèvent leurs verres. Soudain, mon oncle Florent attrape papa par les épaules et le secoue.

— T'es soûl, mon petit frère !

Ils rient en se tapant sur la tête. Papa est soûl. Je ne sais pas ce que ça veut dire au juste être soûl, sinon qu'à mesure qu'on cale la bouteille, on ouvre de grands yeux de veau, on gesticule comme un perdu en forêt, on lâche dans la boucane des cigarettes tout ce qui vous passe par la tête. On rit, même s'il n'y a rien de drôle, on n'entend pas ce que disent les autres. On est seul, émancipé, souverain, on est épouvantablement libre. On peut aussi bien s'embrasser que se battre au sang pour une niaiserie. Il n'y a plus aucun commandement de Dieu qui tienne. On mange son prochain, on sacre à pleine bouche, on déshonore père et mère en se tapant sur les cuisses. Je les ai vus comme ça, je les ai entendus comme ça, souvent. La tempête les a surexcités, alors aujourd'hui ils sont déchaînés. C'est pourtant aujourd'hui que je dois à tout prix savoir. De nouveau, je crie :

— Pourquoi vous voulez vous débarrasser de moi ? ! !

Ensemble ils tournent la tête. Non pas vers moi, mais vers l'escalier, où je devrais être sagement assis, la face dans mes mains, et où apparemment je ne suis pas. Ils regardent trop bas, ou trop haut. Ils avisent un fantôme. Seule maman paraît m'apercevoir. Elle se lève, pose son verre, fait un pas, mais aussitôt papa, d'un bras, lui barre le chemin. Alors elle lève le regard à son tour. Elle examine attentivement le rideau de la fenêtre. Elle a exactement les yeux que j'ai, certains matins, dans le miroir du dortoir. De grands yeux qui ne croient pas, qui ne peuvent pas croire, qui n'en reviennent pas.

— Au bowling, tout le monde !

C'est mon oncle Louis, l'aîné, le fier propriétaire du camion tout neuf, qui tonne le commandement de sa voix de jubé. On rapaille les manteaux, les tuques, les foulards mouillés qui cuisaient doucement sur la grille du poêle. Je ne pleure plus, je ne chiale plus. Ça ne sert à rien.

— Toi t'es chanceux, t'as pas besoin de t'habiller, t'as encore ta bougrine su'l'dos !

C'est ma tante Yvonne. Elle a, comme a dit tout à l'heure papa, « de la broue dans le chignon ». Elle s'est barbouillé une bouche de clown avec son rouge à lèvres. Elle me tend la main. Je ne la vois pas. Je suis capable, moi aussi, de regarder sans voir. Elle hausse les épaules et tourne les talons. Elle titube, elle va tomber face la première sur le prélart.

— Yvonne, t'es chaudasse !

C'est mon oncle Florent, le bedeau. Il montre,

même soûl, son grand air solennel de domestique de sacristie toujours à son affaire. Yvonne le méprise quand elle a bu. Elle le frappe à toute volée et ça fait rire tout le monde. Je ferme les yeux et tente d'appeler à mon aide l'ange aperçu au plus fort de ma fièvre. Il est nécessaire, indispensable, que quelqu'un me voie, m'entende, qu'une toute-puissance quelconque intervienne.

— Amène-toi, ti-gars !

C'est papa. Il m'attrape par le cou et me serre contre lui. Il embaume le whisky, le marécage, le sang des derniers canards tués. Je voudrais résister, le repousser de toute ma force, me déprendre de lui. Mais je ne peux pas. S'il m'étreint à m'étrangler, c'est peut-être qu'il m'embrasse, m'enlace, c'est peut-être qu'il m'aime ? Je me laisse faire. Tout à l'heure, quand il me lâchera, il aura honte, et c'est moi qui l'agripperai par le col de sa chemise : « T'es pas monté me voir à l'infirmerie où je me mourais, pourquoi ? » Les mots sont depuis longtemps assemblés, tout prêts. Papa me lâche. Cet étranglement-là, finalement, n'était pas de l'amour. Ce n'était rien, un faux mouvement, des simagrées de buveur de bière. Et je ne dis rien. Je ne peux pas.

Nous avançons à petits pas dans la neige épaisse. Je me demande : « Depuis quand est-ce qu'ils ont commencé à boire, à se soûler ? » Aussitôt la voix au fond de moi répond : « Depuis qu'ils ne rêvent plus et regardent la télévision, depuis qu'ils ne pensent qu'à faire de l'argent et à le dépenser. » Aussitôt j'ai honte de mon jugement trop dur, peut-être déloyal. Ils rient, ils se lancent des boules de neige, ils se bousculent. Ils font tomber tante Yvonne qui gueule, les quatre fers en l'air. On ne voit plus que son chapeau de fourrure et ses gants de cuir tout neufs qui surplombent le banc de neige. À la queue leu leu, nous entrons chez Stan Harvey, *Bière-vin-liqueurs-nouveautés-et-quilles*. Le diable est aux vaches dans la cabane. Ça crie, ça chante, ça s'esclaffe, ça boucane. On s'interpelle, on se prend à bras-le-corps. On a, comme dit l'oncle Louis, « un fun noir ». Le fracas des quilles qu'on abat, des boules qui roulent dans le dalot, Elvis qui chante à tue-tête *I'm all shook up*, la lueur violette des nouveaux tubes de néon dont Stan est si fier : c'est carnaval au village. Je m'y laisserais prendre si je n'avais pas si mal au cœur.

— Qu'est-ce que t'as ? T'es ben pâle !

C'est tante Aimée qui s'inquiète. Depuis longtemps elle a deviné mes misères. Je sais qu'elle souffre, elle aussi. Elle attend, espère et désespère en buvant son 7Up. Je lui attrape la main. Peut-être connaît-elle la réponse à ma question ? Quel éberlué j'étais ! De tout temps, c'est à elle qu'il me fallait la poser !

— Pourquoi ?

— Pourquoi quoi, mon trésor ?

On dirait qu'elle va pleurer. Elle a tant à faire et à ne pas faire, elle aussi, pour ne pas s'abattre à tout bout de champ sur son lit et marmonner au creux de son oreiller : « Tout est fini avant d'avoir commencé », que je ne dis rien. Je ne peux pas. Elle me caresse doucement la tête. Je me lève et me précipite aux toilettes. Je dégorge sur le plancher de ciment un épais coulis vert. Rien que de la bile, je n'ai pas mangé depuis le matin.

— Ça fait du bien, hein, mon gars ?

C'est papa. Sa chemise est ouverte. Je pourrais compter un à un les poils noirs que la sueur a collés sur sa poitrine.

— Je viens de faire pareil. Ça fait du bien en tabarnak !

On dirait qu'il sort de l'eau, qu'il arrive du fond de la baie, la tignasse en bataille, l'œil embrasé d'une espèce de triomphe qui m'épouvante. Ce n'est pas lui que je vois, mais son image dans le miroir au-dessus du lavabo. Ce n'est pas moi qu'il regarde, mais mon reflet, ma face qui n'est pas ma face, pâle comme un linge. Il avance sur moi. Ce n'est pas lui. Ce n'est pas mon père, c'est l'homme du miroir, un inconnu farouche, ruisselant de sueur, les prunelles dilatées. Il a trop bu, il ne sait plus ce qu'il fait. Je ne connais pas cet homme-là, je ne l'ai encore jamais vu. Et pourtant je sais qui il est. Ça ne dure même pas une minute. Je le sais, je ne lâche pas des yeux la grande aiguille de l'horloge. Il promène ses mains sur moi. Il me fait ce que je me fais, exactement, dans la fenêtre pleine de soleil. Ça soulage et en même temps ça fait mal. Ça console, ça étourdit, ça remet au monde, et puis ça tue. Mais c'est bientôt fini. Ça s'achève en tremblement. Il se reboutonne, se lance de l'eau dans le visage. Ma question morte a un goût de sang au fond de ma gorge. C'est fini. Il n'y a plus que moi dans le miroir. Apparemment, je suis resté exactement celui que j'étais.

*   *   *

C'était novembre dehors et juillet dans le local. La grande fenêtre était munie d'un store de papier, sur lequel étaient peints des feuillages, du vert bronze de la forêt profonde au jade de la rivière ensoleillée. Si mon désespoir procédait des murs ombreux comme des tableaux noirs, où sans cesse on me faisait le compte rendu des hommes disparus et des choses mortes, mon bonheur, lui, était affaire de lumière, de dévoilement, de révélation. J'avais avec le soleil traversant un store, un rideau, un brise-vent ou une simple vitre dépolie un accord primordial. Mon humeur dépendait de la fantasmagorie du jour, dans son encadrement de bois verni. C'était, chaque fois, le rappel qu'existaient toujours — je savais où, exactement, je les connaissais, je les avais connus — une grève plombée de soleil, la grande houle dorée d'un champ où il faisait bon courir à perdre haleine, le sous-bois derrière la grange où naissaient les étoiles, la petite crique où j'allais pêcher la truite avec papa, du temps où il prenait plaisir encore à m'enseigner les sortilèges en multitude de la grande baie. Le local des Jeunes Naturalistes, c'était tout ça et c'était aussi Nelson, qui se passionnait de longues heures pour le bolet à pied court ou la chélidoine majeure, bourdonnant à mi-voix ce qu'il appelait ses « turlutes » pour tuer le temps. Quand il levait le nez de son herbier, le temps que sèche la colle sous la tige de millepertuis ou le rameau de sanguinaire, il soupirait d'aise et me dévisageait avec indulgence. Ses yeux étaient énormes derrière les verres épais de ses lunettes. Je n'avais pas besoin de parler, d'expliquer. Le malheur se devine. Nelson avait deviné. Il disait :

— J'ai mission de te remettre les yeux en face des trous. Pas qu'une petite affaire !

Il prétendait qu'il suffisait de se braquer longtemps devant quelque chose — la ramure d'un saule, un poteau de clôture en bordure du chemin, un miroir d'eau au milieu d'un sentier — pour voir apparaître la merveille : la salamandre des ruisseaux, le bruant vespéral, la grenouille-léopard. Il disait qu'au printemps il m'emmènerait en excursion, m'initierait à l'attention méticuleuse. En attendant, je faisais l'étude des espèces et de leurs habitats. J'apprenais les littoraux, les forêts pluviales, les massifs de fougères où nichaient le huard à collier, le crapaud des grandes plaines, la grèbe cornue. Le campagnol sylvestre survivait en grignotant les organes souterrains des plantes sauvages. Le balbuzard plongeait les pattes en avant afin de capturer en plein vol la truite sauteuse. Dans les tourbières, on pouvait observer, pour ainsi dire à l'œil nu, le travail obstiné de la fardoche qui va devenir forêt. Le vison faisait entendre toute une gamme de cris, allant du roucoulement de la tourterelle au sifflement du serpent. Le papillon porte-queue préférait aux plantes sauvages le céleri de nos potagers. La fleur de lysimaque pouvait calmer les bœufs en chaleur. L'omble de vase dormait tout l'hiver dans la boue. C'est en mettant le feu à l'éperlan séché que les Algonquins éclairaient leurs campements. L'astragale produisait une substance toxique qui amoindrissait la vision. Je m'arrêtais, essoufflé, le cœur battant. J'étais étourdi. Je reprenais confiance. Dans le monde sauvage, la mort n'était pas définitive. Les bulbes dormaient dans l'humus, les rhizomes continuaient de s'allonger sous la neige. La vie s'arrêtait pour recommencer aussitôt. Chaque espèce ressuscitait, gorgée de souvenirs minéraux et d'une puissante espérance, prodiguée par les étoiles, le vent, le gel, le temps. La lenteur de ses racines ne faisait pas hurler d'impatience le chêne vert. La vélocité du martin-pêcheur ne l'enivrait pas d'orgueil. La puissance du loup-cervier ne le conduisait pas à tuer autrement que pour se nourrir, et il n'égorgeait que le lièvre, qui abondait. L'huître côtelée partageait sa coquille avec le bébé crabe, qui grandissait lové contre sa perle. Le mille-pattes n'attaquait jamais, il se défendait seulement, en lâchant une puanteur qui décourageait ses prédateurs. Les animaux, les plantes ne connaissaient pas la mort, ne cultivaient pas l'ennui, ne se vengeaient pas, ne se souciaient pas du temps. Le savoir de chaque espèce était enfermé dans un savant réseau de cellules, de spores, de glandes. N'étais-je pas né, moi aussi, organisé, anticipé, prédestiné ? Mes songes, mes pressentiments, mes doutes, mes répulsions, mes désarrois, mes rares éclairs de confiance, mes lâchetés, mes entêtements, ma peur et même ma détresse n'étaient-ils pas des prescriptions, des lois, une grammaire inscrite au plus secret de mon corps ? N'avais-je pas un avenir, moi aussi, de toute éternité prévu et qui me faisait tourner la tête, à tout moment, comme le tournesol, vers la lumière ?

Nelson, l'œil collé à son microscope, me parlait de la savante étude de la nature qui, selon lui, était seule capable de calmer ma désespérance. Il disait :

— Dans l'univers, tout est sens dessus dessous, et

pourtant tout se tient, tout tient ensemble ! La nature est à la fois prodigieusement intelligente et complètement démente. On peut passer sa vie, toute sa vie à l'observer. Je mourrai sans doute à la tâche, comme tant d'autres, mais j'abandonnerai jamais. Apercevoir seulement les énigmes de la nature me fait battre le cœur, rien d'autre ne m'intéresse.

— Moi, je t'intéresse un peu, non ?

— Toi ? Oui, tu m'intéresses. T'es pas vaniteux comme les autres, tu ne te compares qu'à toi-même et ça me plaît bien. Et puis t'as une pureté d'attention animale et ça, c'est rare !

— J'imagine que c'est un compliment ?

— Imbécile ! C'est un compliment, mais j'émets une réserve quant à ta fantasmagorie stupide de toute-puissance. Ça te passera, avec le temps. Pour l'instant, t'es dans le brouillard et tu désespères. C'est normal, t'as treize ans ! Demain, tu t'éveilleras, débarrassé de ton égoïsme sans-dessein et tu regarderas devant toi…

— Comment peux-tu en être si sûr ?

— Je suis passé par là, qu'est-ce que tu crois ! J'ai commencé, moi aussi, par condamner le monde et les autres. C'était la démence ou la mort, et rien d'autre. Tu sais, le désespoir est une maladie qu'on attrape souvent au sortir de l'enfance. On en guérit. Du moins on peut en guérir…

— Ça m'entre pas dans la tête !

— Normal ! T'es bouché par les deux bouts. C'est l'âge. T'es tellement collé à toi-même que tu t'enrages d'exister seulement dans ta peau et tu veux tout jeter par-dessus bord. Mais tu comprends davantage que tu

penses. Tant que tu demeureras le personnage princi-
pal, sinon le seul, de ton histoire, ce sera comme ça.
Mais la beauté du monde est irrésistible, elle est terrible, elle te réveillera, tu verras !

— Je comprends rien à ce que tu racontes.

— Normal, encore une fois ! L'adolescence est bête
et elle est inconsolable. Elle veut mettre le feu à tout, y
compris à elle-même. Elle récite son malheur aux murs,
aux tables, aux chaises, qui lui rient en pleine face. C'est
insupportable, c'est idiot, et en plus c'est naïf à mort.
T'as treize ans. Donne-toi le temps, tu changeras.

— Je crois pas.

— Normal, ça aussi, évidemment. Mais tu sauras
me le dire. On écorche pas deux fois le même taureau.

— Qu'est-ce que ça veut dire ?

— C'est une image, une vieille métaphore de
grand-père. Ça veut dire qu'un jour on quitte seul le
chemin, le seul chemin qu'on connaissait, et que plus
jamais, même en cherchant, on le retrouvera.

— Tu délires !

— Normal que tu croies ça, bien sûr. Tu peux pas
savoir. Pas encore.

— Arrête, tu m'énerves !

— Normal !

— Ahhh !…

Je me levais d'un bond et me mettais à tourner en
rond dans la pièce, sous l'œil amusé de Nelson. L'exas-
pération, comme le bout du rouleau, me poussait à
m'agiter, à me propulser. Je n'en finissais pas d'afficher
ma parenté avec les végétaux du gros livre. Je poussais,
moi aussi. Je me développais, je sortais de ma nuit, je

pointais à travers le bois mort. Il fallait à tout prix que je vienne au monde.

— Arrête, tu me donnes le tournis !

Nelson riait. Mes circonvolutions autour de la grande table, où étaient ouverts nos livres, l'herbier, mon cahier rempli de poèmes buissonneux le divertissaient et même l'intéressaient. Il s'asseyait sur le coin de la table et m'étudiait, le poing sous le menton, à la manière du *Penseur* de Rodin. Je chatouillais, au passage, le renard argenté empaillé, la loutre qui faisait la belle, la truite saumonée qui bondissait dans le soleil de la pièce. Nelson hululait, chuintait, bêlait, feulait, prêtant à chaque spécimen que je frôlais un cri qui n'était pas le bon. J'éclatais de rire. Il disait :

— C'est le zoo, imbécile ! Approchez, mesdames et messieurs ! Approchez !

Je m'arrêtais, à bout de souffle. Je disais :

— L'imbécile, c'est toi !

— Comment ça ?

— Tu me donnes ton amitié sans savoir.

— Sans savoir quoi ?

Je ne répondais pas. Nous nous dévisagions longtemps, comme deux soldats ennemis tombés l'un sur l'autre, dans une clairière où la guerre paraissait tout à coup inimaginable. Il s'approchait lentement. Mon cœur cognait. Il était beau, même avec ses lunettes. J'étais heureux, j'avais peur. Je haletais, lui aussi. Nous allions faire quelque chose, il nous fallait faire quelque chose. Mais la cloche sonnait. Nous étions sauvés, ou perdus. Nous rangions les livres et les cahiers en silence. Découragé, je demandais :

— C'est quoi, là ?

— « Sékouala », c'est du grec ou du chinois ?

— On va à l'étude, en classe, à la chapelle ?

— On va souper, mon ami ! Miam, miam ! Du bon macaroni, sec sur le dessus, vaseux par-dessous, agrémenté de la même délicieuse sauce blanche à base d'eau de vaisselle qu'on nous a servie hier soir avec le chien bouilli ! Un régal !

— Ouache !

— Tut, tut, tut ! Ça descend dans le gosier comme Marie-Madeleine en jupon de velours !

Je sortais le premier. Le corridor était noir, on n'y voyait rien. Nelson verrouillait la porte. Il faisait mine d'avaler la clef, mais je connaissais son truc : il la glissait dans le col de sa chemise. Je jouais l'ébloui :

— Formidable ! Comment tu fais ?

Il haussait les épaules et la clef tombait sur le plancher. On riait. Au second coup de cloche, on dévalait les marches en faisant ce que Nelson appelait « notre tapage de mousquetaires dégringolant à cheval et au galop le grand escalier du château ».

*　　*　　*

Les gars sont groupés en cercle autour de Malette. Ils le bousculent, ils beuglent. Ils le font tourner comme une toupie, lui frappent la tête et les épaules avec leurs bâtons de hockey. Mallette tombe. Il se relève. On le pousse et le repousse, comme un gros ballon. Il passe de l'un à l'autre. Il fonce, tête la première, dans un ventre, une poitrine, une cuisse. On l'attrape à bras-le-corps. On lui arrache sa tuque. On lui déchire son manteau. On lui flagelle la face avec des foulards mouillés. Mallette ne se plaint pas, ne crie pas. Il halète, grogne, entourant sa tête de ses bras. La clameur monte. Mallette est couché dans la neige. Il fait le mort. On crie, en chœur :

— De-bout ! De-bout ! De-bout !

Mallette ne bouge pas. Les gars se déchaînent. Nouveaux coups de bottes et de bâtons de hockey. On sort les poings des mitaines. On le tabasse. Mallette lâche un hurlement. Les gars reculent, dans un silence de chapelle. On entend Mallette pleurer. Alors les gars recommencent : des pieds, des poings, ils le cognent. Là-bas, appuyés contre la grande porte, Latendresse et le second de discipline — un petit maigre au grand nez, qu'on appelle « le-plus-que-pion » — assistent au massacre, les bras croisés, les babines retroussées.

— Y faut les arrêter !

Jean-Pierre veut s'élancer. Au moment où il va sortir du préau et gagner dangereusement la pleine lumière, j'agrippe son manteau.

— Te mêle pas de ça !

Jean-Pierre lève sur moi deux yeux vides, épouvantablement délavés. On dirait qu'il me soupçonne tout à coup d'avoir partie liée avec la canaille justicière, là-bas, au fond de la cour. Les dents serrées, il râle :

— T'as vu les deux chiens qui lèvent même pas le petit doigt ?

— Ça fait tellement leur affaire !

— Comment ça ?

Je le tire par la queue du manteau jusqu'au fond du

préau. À présent, les cris ne sont plus qu'une rumeur assourdie, étouffée. On dirait le tumulte épuisé d'une récréation ordinaire.

— Tu sais pourquoi les gars font ça et pourquoi les pions les laissent faire ?

— Parce que Mallette est un bavasseux, un panier percé ?

— Si c'était juste ça, les salauds se contenteraient de le lapider de mottes de glace.

— Alors c'est quoi ? Qu'est-ce qu'il a fait ?

— À eux, rien. Du moins, pas directement.

— Cesse de tourner autour du pot !

Je m'adosse au mur. Je croise les bras et dévisage Jean-Pierre. Le pauvre, il croit encore à la bonté cachée des hommes. J'entends alors la voix au fond de moi : « Il ne s'en tirera pas, il est trop innocent, ils vont finir par l'avoir. »

— Parle donc !

Il me secoue à toute volée. C'est comme s'il en houspillait un autre, un plus grand, un plus fort que moi, un géant qui connaîtrait trop bien sa propre force pour réagir.

— Tu veux vraiment savoir ?

— Oui !

— C'est plutôt laid, je te préviens !

— Ça fait rien, raconte !

Je hoche la tête mais je ne me décide pas à parler. J'ai honte de mon air supérieur. En ce moment je suis le plus fort et ça me fait mal. Je me voudrais franc mais je suis fourbe, loyal mais je suis traître. Je contiens tous les péchés du monde. J'en sais trop et pourtant je ne sais rien. Le peu que je sais, je l'ai appris à travers les branches. Et ce savoir-là me tue. Mon appétit pour les saloperies des gars me dégoûte. Et à présent je vais corrompre Jean-Pierre, qui ne s'en remettra pas. Mais c'est à moi, à moi seulement, de lui faire comprendre qu'on ne perd rien en se dépouillant de son innocence, qu'on acquiert une force nouvelle dans la contemplation des vérités noires, que c'est le prix à payer si l'on veut lutter d'égal à égal avec les gars, avec les hommes, ces incapables omnipuissants.

— Vas-tu te décider ?

Je lui attrape les poignets, avale mon souffle comme du feu et dis :

— C'est à cause d'une lettre.

— Une lettre ?

— Oui. Mallette a reçu une lettre.

— Quel genre de lettre ?

— Une lettre d'amour.

— Hein ? De qui ?

— D'un gars de Belles-Lettres.

— Qui ?

— Qu'est-ce que ça peut te faire ? De toutes façons, on le reverra pas de sitôt.

— Pinsonneault ?

— Peut-être.

— Mais…

— Peu importe ! Ce qui compte, c'est que Ladétresse a intercepté la lettre.

— Il l'a lue ?

— Non seulement il l'a lue, mais il l'a refilée à Brodeur, qui l'a fait circuler à l'étude.

— Tu l'as lue, toi ?

— Non. C'était à l'étude des grands. Mais Nelson l'a lue.

— Ah, Nelson, on sait bien ! Nelson sait toujours tout !

— Il sait pas tout, mais il en sait pas mal plus long que toi et moi. Et pour cause, c'est un grand !

— Et qu'est-ce qu'elle disait, la lettre ?

— Tu le sais.

— Non.

— Je te dis que tu le sais ! Tu m'en as déjà écrit une presque pareille.

— Comment peux-tu dire qu'elle était pareille si t'as pas lu celle de Pinsonneault ?

— J'ai dit « presque pareille ». Et j'ai pas dit que c'était Pinsonneault !

— On va le renvoyer ?

— Mallette ? Tu parles !

— Sans doute Pinsonneault aussi ?

— J'imagine. Mais t'en fais pas, ta lettre à toi, je l'ai déchirée.

— T'as bien fait !

— Tu parles !

— Et c'est pour ça que les gars ?...

— Évidemment c'est pour ça !

Jean-Pierre affiche exactement le visage qu'il montrait le jour où Latendresse nous a fait fumer les cigares. Je dis :

— Si t'es pour vomir, au moins dégueule pas sur ton costume.

Mais il ne vomit pas. Il ne pleure pas non plus. Ses

94

yeux pâles sont plantés dans les miens. Deux fragiles éclats de glace traversés par une lueur qui ne me dit rien de bon. Il marmonne :

— Et si on faisait pareil ?

— Qu'est-ce que tu veux dire ?

— Si on laissait les gars intercepter une de nos lettres ?

— T'es malade ?

— Non ! On se ferait tabasser, d'accord, mais on serait renvoyés ! Et alors, toi et moi, on serait libres !

Si je ne lève pas le bras pour le frapper, c'est que je savais qu'il dirait exactement ce qu'il vient de dire. Et puis il est trop tôt pour la colère. Elle viendra tout à l'heure. Elle sera peut-être nécessaire. Elle se déchaînera pour ainsi dire toute seule. Mieux vaut, pour l'instant, le forcer à pousser jusqu'au bout son raisonnement d'abruti.

— Libres ? Peux-tu m'expliquer où et comment on sera libres, toi et moi ?

— Ben…

Finalement, ce ne sera pas la peine de crier, de porter la main sur lui. Tout de suite il se rend compte. Il sait. Il a toujours su. Il dit, sur le souffle :

— Nulle part. Jamais.

Il a parlé d'une voix claire, bien timbrée, imitant le ton compétent que prennent les gars pour déclarer qu'il ne faut à aucun prix dépasser la ligne bleue, attraper à deux mains le ballon, revenir dans le jeu quand on est mort. Du coup, l'impossibilité irrévocable nous fossilise, tous les deux, au fond du préau. Nous ne sommes plus ce que nous étions, ce que nous sommes, ce que nous pourrions devenir. Nous ne sommes plus que deux choses mortes, incrustées dans la pierre du mur, comme ces ensevelis de Pompéi, aperçus l'après-midi même au cours d'histoire.

*   *   *

On n'a jamais revu ni Pinsonneault ni Mallette. À la salle d'étude, la place de Mallette est restée vide le reste de l'année. Sur le couvercle de son pupitre, les gars ont gravé, à la pointe du compas, d'abord un grand cœur difforme, puis une centaine de flèches meurtrières. Semaine après semaine, ils ont éclaboussé la porte de sa case de longues coulisses de sang, tracées avec l'encre destinée à souligner d'un trait la solution à nos problèmes d'algèbre.

Un soir, pendant l'heure d'adoration à la chapelle, je glisse un mot dans le cahier de cantiques de Jean-Pierre.

> *Il ne faut plus se voir autant. C'est dangereux, tu l'as bien compris. Et puis médite un peu sur ce que nous allons devenir, le jour où les enfants de salauds qu'on a vus à l'œuvre dans la cour seront les nouveaux maîtres, beuglant « Il faut que ça change ! » sur toutes les places publiques du pays !*

Je n'en démordais pas. J'étais pris d'une sorte de rage à la perspective d'être malgré moi entraîné — et Jean-Pierre avec moi — dans les remous d'une méta-morphose qui ferait de nous des bêtes féroces mais éduquées, capables du pire pour « aller de l'avant », foulant nos rêves, à chaque enjambée, afin que coûte que coûte soit maintenu l'ordre ancien, déguisé en monde nouveau, ce temps mort où tout était fini avant d'avoir commencé.

Ce n'était pas de la révolte. C'était du désespoir, une sorte de folie, un piège qui s'ouvrait tout seul et à tout moment devant moi. C'était une épouvante qui me lâchait plus.

*   *   *

Je marche dans le corridor qui mène à la salle d'étude. Il est huit heures du soir et il neige. Soudain, je devine que tout est possible. Pourtant rien n'arrive. Je sais qu'une certaine magie est à l'œuvre : la neige qui vole, le ciel vert, la sentinelle comme une étoile allumée dans de l'ouate. Une grande main surnaturelle a secoué puis renversé la boule de verre où nous sommes enfermés, le monde et moi, le collège et moi. Tout est pareil et pourtant tout est changé.

Tout à coup la porte de l'étude des grands s'ouvre et un gars surgit dans l'ombre du couloir. Il s'avance vers moi. Il ne peut pas me voir, je me suis collé contre le mur. Mon cœur bat à tout rompre. Je suis furieux. Ce gars-là n'a pas le droit d'être ici. Ce corridor, ce temps échappé du temps, cette neige douce, ce soir de féerie sont pour moi, rien que pour moi. Je sais qu'il peut m'arriver quelque chose, qu'il doit m'arriver quelque chose, et ce marcheur-là va tout empêcher ! Il approche à grands pas chaloupés. Je retiens mon souffle. Je suis le soldat, ou le bandit, tapi dans l'ombre et qui va bientôt se détacher du mur, de la nuit, son couteau brandi. Soudain le gars s'arrête, trois pieds devant moi. Il soupire, délace sa cravate, déboutonne sa veste, ouvre le col de sa chemise. Il est très beau, comme ça, la tête renversée sur l'épaule, les cheveux en bataille, le souffle court. Je ne comprends pas ce qui m'arrive. Si je sors de la nuit, ce ne sera pas pour enfoncer ma lame dans son corps, mais pour étreindre ce gars-là et rouler avec lui, sous lui, sur lui, dans la nuit du corridor, où la neige seule nous apercevra. Brusquement il tourne la tête vers moi. Il ne sursaute pas, sa voix ne tremble pas le moins du monde.

— Qu'est-ce que tu fais là, toi ?

Mon cœur s'arrête. Ce n'est pas mon sang qui coule à présent dans mes cuisses, mes mollets, mais du plomb. Le soldat ennemi, le bel échevelé aux larges épaules, qui tout à l'heure respirait fort dans la nuit, auréolé par la clarté de la neige, c'est Nelson ! Nelson sans ses lunettes !

— Tu dis rien ?

Je n'ai plus de salive, ma bouche est scellée. Le temps qui s'était ouvert, tout de suite s'est refermé. Nelson tend son bras. Je me noie et c'est une bouée qu'il me lance. Ou alors c'est lui qui se noie et qui veut m'entraîner avec lui dans je ne sais quels remous. Au bout d'un moment, son bras retombe. Je suis mort, je suis noyé. Je suis sauvé, je suis ramené à la vie. Il rit doucement. Loin, très loin, la cloche sonne. Je ne sais pas au juste ce que je veux dire quand j'articule, le cœur sous la langue :

— Sauvés par la cloche, encore une fois !

Il ne rit pas. Il ne remue pas. On dirait qu'il attend. Alors j'attends aussi. À côté de lui, avec lui. On ne se lâche pas des yeux. C'est bon. C'est long. Ça va s'arrêter. Ça pourrait durer toujours.

La porte s'ouvre derrière nous, et c'est le cyclone, la tornade : les gars sortent de l'étude, quatre à quatre. Ils nous séparent, nous emportent. Avant de commencer, encore une fois c'est fini.

✻   ✻   ✻

Ni *Anges dans nos campagnes* ni *Nouvelle agréable* ne m'attendaient à la maison, où chacun s'était mis à craindre que je remette ça avec mes questions et mes sanglots qui risquaient de gêner les réjouissances. Tout de même, en entonnant ces beaux airs-là, à la chapelle, le matin du départ, je me suis lâchement laissé aller à escompter quelque bouleversante réconciliation au pied du sapin, l'accueil de l'enfant prodigue, dans le salon décoré où n'était visible la moindre bouteille de whisky. De grosses larmes me coulaient sur les joues, que je n'essuyais pas. On aurait dit que je désirais être aperçu par les gars dans mon affliction et mon espérance, que l'orgue et les chants exaltaient. Je poussais ma voix, persuadé qu'à force de psalmodier l'avènement d'une amnistie et d'un rapprochement que malgré moi je voulais encore, je convaincrais l'Enfant Dieu, à qui il suffisait de demander pour recevoir, d'accomplir le miracle.

Aussitôt dehors, où j'avais si longtemps souhaité me

trouver seul, marchant dans la neige blanche, délivré, je sus que j'étais perdu. Je ne partais pas à l'aventure, je m'en allais chez nous. Il me vint alors la volonté folle de changer mon chemin, de partir n'importe où, de traîner ma petite valise jusque sur le perron d'une maison inconnue que me désignerait, comme la crèche aux bergers, l'étoile de Bethléem. Dans cette cuisine-là, ça sentirait la tourtière sortant du four, mais aussi la tendresse, la fraternité. Puisqu'on ne m'attendait pas, on m'accueillerait charitablement, comme on laissait entrer au chaud, dans les contes que j'avais tant aimés, l'orphelin que sa misère avait lâché dans la rue. La folle de mon logis n'était pas l'imagination, c'était l'espérance, qui même morte subsistait. Et la peur subsistait avec elle.

Je marchai, sans dévier de ma route, jusqu'au terminus et grimpai dans l'autobus, plus mort que vif, démonté par la déroute de mes rêves les plus chers qui ne servaient plus à rien. On ne s'échappait pas comme ça. « Nulle part, jamais. » Jean-Pierre avait prononcé à ma place ces mots-là, qui me fermaient le monde. Il me fallait être conséquent avec moi-même, cesser de rêvasser. Il me fallait, comme disait papa, qui sans doute en connaissait long là-dessus, « prendre mon mal en patience ». Mais qu'est-ce que c'était, au juste, que la patience ? Je le demandais à la neige tombante, aux bouleaux endormis, au ciel vide, au soleil blême. Ils ne me répondaient pas, alors je somnolais, pris d'une grosse fatigue qui tout à coup me rattrapait. C'était une sorte de délivrance. L'endormissement m'écrasait sur mon banc, me jetant dans un fond noir, pacifique, indifférent, où plus rien, y compris moi-même, ne comptait. Je ne rêvais pas. Ou plutôt je rêvais que je tombais au ralenti dans un oubli qui ne me faisait plus peur. En sursaut je m'éveillais, terrifié par ce relâchement imprudent de ma vigilance. Je ne devais pas flancher ! La moindre inattention équivalait à un renoncement. Si je me reniais, j'emprunterais malgré moi le chemin du loup. Mais le sommeil était le plus fort. Après tout, peut-être valait-il mieux oublier. Je baissais la garde et continuais de tomber, alangui, satisfait. Je capitulais. Le monde était en ordre, c'était moi qui déraillais. Je n'avais qu'à suivre le courant. Ce n'était pas difficile et je n'aurais plus mal. Les autres m'entoureraient comme on encercle amoureusement le poulain ramené dans l'enclos. Ce devait être si bon de leur appartenir enfin, de n'avoir plus à chercher son chemin dans la broussaille, d'avancer coude à coude avec les autres sur le chemin battu. « Tu es là, tu es enfin avec nous ! Fait-il assez beau ? Regarde, il y a tant à voir, tant à partager, ouvre les yeux ! » Je les ouvrais, mais sur un rocher taillé à pic, que je gravissais aussitôt, m'écorchant les mains, les bras, les cuisses. J'arrivais en haut en sang. C'était une falaise et on allait bientôt me pousser, je le savais. Un geai criait et je dégringolais. Alors j'ouvrais les yeux pour apercevoir, le cœur battant, un champ blanc, le ciel blanc, trois petits personnages blancs qui avançaient lentement, au loin, dans la neige blanche. Je tâchais de penser à des gnomes, à des lutins, à des elfes : peine perdue. Les enchantements qui m'avaient si longtemps autorisé à croire qu'une divinité compatissante veillait sur ma vie ne pouvaient plus rien pour moi. J'étais seul, je ne rêvais plus et je rentrais chez nous, qui n'était plus chez moi.

J'ai continué à dormir, sur le divan, sur ma chaise, à table, sur le plancher près du poêle, roulé en boule entre les pattes du chien. Qui dort dîne : je ne mangeais pas. Je perdais vite les voix, les remuements des uns et des autres, les commandements, les mises en garde, les consignes, les chuchotements de maman, les grognements de papa. On m'oublia. J'en fus pour une fois content. Et puis j'oubliais moi aussi, anesthésié par la chaleur du poêle. J'avais de nouveau quatre ans, peut-être même moins. L'enfant si doux, posé sur la paille, c'était moi, et mon chien était le bœuf ou l'âne qui me léchait le visage.

On me secouait. Je me levais, m'habillais, chaussais mes patins et rejoignais mes cousins au bord du lac. Le vent me cinglait la peau mais je ne frissonnais pas. Je ne parlais pas à Michel, Luc, Denis. Je ne les entendais pas non plus. Je n'étais plus des leurs. Ils étaient restés, j'étais parti et, malgré les apparences, je n'étais pas revenu, je ne reviendrais plus. Je m'élançais sur la glace, ouvrais mon manteau, et aussitôt j'étais changé en *ice-boat* filant à toute allure. Mes paupières scellées par le givre, mes cris retenus par mon foulard, je zigzaguais, contournais une île de joncs gelés, sautais une faille large comme un ruisseau. J'allais vite, je m'étourdissais. J'étais fier de ma souplesse, de ma vivacité intactes. Je ne pensais plus à rien, tant il y avait de ciel au-dessus de moi, autour de moi. De ma mitaine gelée, raide comme du bois, je me frottais les yeux, d'où se détachaient d'épaisses écailles de frimas. C'étaient mes vieilles larmes qui tombaient sur la glace dans un minutieux bruit de cristal. J'apercevais l'église, loin devant moi, tout au bout du grand désert bleu. C'était le collège. Reculé sur l'horizon, il n'était quasiment plus rien. Bâillonné par la rafale, je gémissais ma délivrance. Seul m'entendait le col de mon manteau. Je m'envolais alors avec la poudrerie, brindille de glace noire tournoyant sur l'infini lac gelé. Je me frappais les flancs, les cuisses pour faire circuler mon sang. En trente coups de lame, je rejoignais Denis, Luc et Michel, méconnaissables sous leurs épaisseurs de laine. Nous filions à quatre vers la baie, lointaine comme l'anneau d'une étoile. J'avisais au passage mes chers Trois Pins, qui montaient toujours la garde. Même morts, ils vivaient toujours. Comme moi, ils avaient besoin de dormir, de dormir longtemps. Mon patin se plantait dans une crevasse et je faisais cent pieds sur le ventre. Les cousins n'étaient plus que trois petites friselures de givre, très loin devant moi. Je me relevais, m'élançais, filais comme un météore, la mort blanche à mes trousses. J'ouvrais si grand la bouche pour avaler mon air que mon foulard goûtait le sang. Ça me réjouissait. J'avais le sentiment de n'être plus mourant mais seulement blessé. Ce n'était pas pareil, je pouvais guérir. Je me laissais tomber sur la glace, content d'en avoir fini avec ces quelques semaines de malheur qui n'étaient pas venues à bout de m'arracher la moindre reddition. Je braquais longtemps mon regard sur une boursouflure de glace, un gros quartz étincelant, jusqu'à ce que j'aperçoive ma face multipliée. Alors j'entendais Nelson : « Tu n'es pas un, mais dix, vingt, cent ! Ça fait beaucoup trop de monde à tuer ! Ça leur prendra tellement de temps que tu dureras, mon cher, tu dureras ! » Le soleil entrait sous un nuage. Mon exaltation s'éteignait. J'avais rêvé encore. Il ne fallait pas. De nouveau je revoyais Nelson, dans sa posture de penseur. Il disait : « Quel acteur tu es, mon cher ! » Et je pensais que peut-être, en effet, ma misère était une bouffonnerie, et le collège un décor. Un jour, la lumière baisserait et il disparaîtrait. Mais ce n'était pas sûr. Je rêvassais toujours. J'étais pareil à cette grosse bulle d'air, enfermée dans la glace : en avril elle éclaterait, morte à peine délivrée. Décidément l'espoir ne prenait plus sur moi, en tout cas ne durait pas longtemps. Je revenais seul. Le soir était tombé. J'apercevais des lueurs boréales qui balayaient la glace. C'étaient les feux du camion de mon oncle Louis. Je voyais papa qui sautait dans la neige, alors que le camion roulait toujours. Les bras en l'air, il criait :

— Es-tu fou !

Ce n'était peut-être pas à moi qu'il s'adressait, mais à l'imprudent corbeau qui traversait le ciel au-dessus de moi et que le gel risquait de tuer en plein vol. Je patinais lentement jusqu'au bord et me laissais tomber dans la neige en croûte. Je me disais : « T'as qu'à le regarder d'une certaine manière et il ne te punira pas. » J'avais honte de ce nouveau pouvoir sur papa. Ce n'était pas mieux, c'était pire qu'avant, ça ne permettait rien, ça empêchait tout. Je somnolais encore dans le camion, les joues, les mains et les pieds traversés d'aiguilles brûlantes. Je me réveillais le visage mouillé de larmes que je n'avais pas senties couler. Je me dirigeais, les jambes en coton, jusqu'au divan. Je tombais. Je dormais encore, assommé.

*　*　*

Ils allèrent à la messe de minuit sans moi. Je dormais toujours. Au moment où mon oncle Florent devait entonner le *Minuit, chrétiens* au jubé, de sa grosse voix chevrotante, je me levai de mon lit comme un ressuscité et me mis à fouiller le débarras qui me servait depuis peu de chambre à coucher. On aurait dit que j'avais fait le projet, dans un autrefois indéterminable, de trouver dans ce bric-à-brac où papa entreposait aussi bien nos vieilleries que ses paperasses personnelles une explication définitive à mes misères. Il y avait, tout au fond de la pièce, sous une grande manne remplie de coupons et de factures, une boîte à chaussures, bourrée de petits livres à la tranche violette, leurs couvertures montrant presque toutes le même marin qui buvait, le calot sur un œil, au fond d'une auberge enfumée, une créature à crinière de feu, la poitrine demi-nue, assise sur ses genoux. La langue de « John and Mary » ayant perdu malgré tout pas mal de son mystère, je finis par déchiffrer les titres sur les couvertures criardes : *The Red Hair Goddess, Midnight Sinners, The Devil in Sheila.* Il m'était arrivé souvent d'apercevoir un de ces petits livres, posé comme un papillon les ailes grandes ouvertes sur la poitrine de papa qui dormait à poings fermés dans son fauteuil. Les soubresauts qui l'agitaient alors avaient donc à voir avec les accouplements effrontés de ces loups de mer lascifs et de ces sirènes décolletées ? Je croyais savoir ce qui démangeait papa, et qui me concernait. Et voilà que j'étais forcé de l'imaginer dans le coin le plus sombre d'une taverne sous des palmiers, acoquiné avec des débauchés et des catins. Ce devait être à ce puissant appétit de papa pour d'inimaginables bacchanales que maman faisait allusion, quand, les yeux au plafond, elle déclarait à qui voulait l'entendre, en prenant un air de martyre :

— Y'a rien à faire, un homme restera toujours un homme !

C'était déjà une grosse trouvaille. Mais je cherchai encore. Ma curiosité déchaînée me faisait honte, mais elle m'excitait. Si je trouvais insignifiantes les aventures de Bob Morane, qui devait marcher sur mille serpents emmêlés et massacrer des indigènes par centaines afin de mettre la main sur le trésor du Temple, je n'en possédais pas moins, dévalisant les tablettes de l'armoire et vidant les tiroirs du bureau de papa, cette effrayante avidité du *picaro* pilleur de tombes. Et je finis par mettre la main sur ce que, sans le savoir, je cherchais : le gros cahier du journal de grand-père. Je perdis toute méfiance. J'allumai la lampe, ouvris le cahier et lus au hasard :

C'est comme s'il n'y avait rien au-delà des murs. La vie est une chimère. Les combats, comme les découvertes, ne sont que des dates. Pendant que prêtres et élèves s'imaginent qu'ils travaillent, la conscience dort et rôdent les loups…

Je m'arrêtai, le cœur tombé au fond du ventre. Non seulement grand-père avait, soixante ans avant moi, tiré au clair les noires intentions des curés qui dirigeaient le collège, mais il avait su, contrairement à moi, trouver les mots, les bons mots, les justes mots pour le dire. Grand-père était écrivain, l'auteur d'un seul livre, que sans aucun doute personne chez nous n'avait lu et ne lirait jamais. Je connaissais l'existence de ce cahier. On en parlait parfois, entre deux portes. Pour qui donc grand-père l'avait-il écrit, sinon pour moi ? Je me sentis à la fois trahi et sauvé. Je fis tourner les pages et lus encore :

> *N'oublions pas que nos imbéciles de meneurs sont tous sortis des collèges. Sans ces institutions, il n'y aurait, voudrait-on nous faire croire, que la nuit. Bêtises ! Pourtant, que serions-nous sans eux ? Des habitants brûlant leurs maisons pour ne pas avoir à payer de taxes ? Les collèges seraient donc indispensables à la bonne conduite d'un peuple ? Lumières dans le brouillard, peut-être, mais surtout lumières pour une élite, une élite seulement, qui n'aura mieux à faire qu'à garder dans la noirceur les innocents, les simples, les honnêtes rêveurs…*

C'étaient là mes propres raisonnements, énoncés dans un style que je désespérais de forger jamais, plus intelligible et plus pur encore que celui du frère Marie-Victorin. Je refermai doucement le cahier et le remis au fond du tiroir. Un jour, il serait à moi, dussé-je le voler. Pour ce trésor-là, il n'était pas trop tard, mais trop tôt. Ça me changeait. J'étais attendu par les mots de grand-père, et il me faudrait attendre pour les lire. C'était une fortune équitable et qui me faisait comprendre enfin ce qu'était la patience. Quelqu'un vous attend et vous l'attendez. Quelqu'un qui vous comprend et vous protège de loin, à qui vous vous efforcerez longtemps de ressembler, parce qu'il vous aime de manière invisible mais sûre.

Je ne me rappelle ni la suite ni la fin de ce long congé des fêtes. J'ai dû avaler de la tourtière et des gâteaux, affalé sur ma chaise, reprenant mes poses alanguies de fantôme qui ne dérange pas et qu'on ne dérange pas non plus. Sans doute suis-je allé patiner encore, me laissant emporter loin au large par la rafale, si loin que je n'apercevais quasiment plus notre maison et ne songeais plus à revenir.

Pourtant, tout était changé. Je le savais, puis j'oubliais. Le temps marchait trop lentement. Il aurait fallu qu'il vole, qu'il se dépêche, qu'il me propulse à toute allure loin en avant, où je savais désormais que j'étais espéré.

*   *   *

Je devine bien que j'héberge une âme tourmentée, sans doute indocile. Mais enfin je ne peux pas me voir. Le miroir ne me renvoie que le masque que je porte à longueur de journée, le faciès stupéfait, indéchiffrable de l'enfant qui mue. Mais voilà que, cet après-midi, je m'aperçois enfin. Je ne suis pas blond comme James, le héros de *La Fureur de vivre*. Je ne me déplace pas, comme lui, à la manière du lynx indompté. Je ne porte pas une veste de cuir et ne sais pas, comme lui, manier le couteau, conduire d'une seule main une grosse voiture pétaradante et l'arrêter, comme par magie, au bord d'une falaise. Mais, pour le reste, c'est moi. Je pleure, comme lui, à visage découvert. Comme lui je crie sans qu'on m'entende. Il sait, comme moi, que les hommes sont lâches, qu'ils font fausse route, qu'ils se méprisent et ne savent pas se venger autrement qu'en édictant des lois qui leur ferment le paradis. Qu'ils tuent en eux la tendresse et l'espoir sans même s'en apercevoir. Comme moi, il est innocent et mauvais. Il ne se comprend pas lui-même. Il est séraphique, diabolique, radical. On n'a pas voulu qu'il vienne au monde, et lui ne veut pas du destin étriqué dont on a décidé pour lui. Il a mal. Il souffre radieusement. Il est beau, honnête, pur. À la fin, quand on fracassera ses rêves, on éteindra toute lumière sur la terre. Il a, pour une fille de bonne famille aux grands yeux sauvages, un amour immaculé, et pour son ami bafoué, qui aime tant les étoiles, une dévotion illimitée. Je sais bien que pour lui ça finira mal. Ils sont impitoyables, une fois démasqués. Ils mettent vite la main au fusil. Son déclin pourtant ne sera pas une fin. Ce sera une apothéose, un triomphe, la confirmation que sa rage de vivre est mille fois préférable à l'obéissance assassine.

C'est fini. On rallume les lumières dans le gymnase. Les gars se lèvent. Ils se remettent à parler, à crier, à chahuter, à se bourrer de coups. Moi, je ne peux pas, je ne veux pas me lever. Ce n'est pas fini. Au contraire, ça commence. Je ne bougerai pas d'ici avant qu'il revienne, traversant l'écran blanc, descendant jusqu'à moi pour m'enlever à la mêlée criarde. Il est mon sauveur, il le sait. Disparu pour les autres, il est resté pour moi. Quand tous les gars seront sortis, il déchirera à coups de poing et de pied l'écran, qui n'est pas un écran mais un grand ciel blanc où il m'emportera. Il n'aura qu'à dire : « Viens, mon petit frère, viens avec moi ! » et je serai rempli d'une grande force rebelle, contre laquelle personne ne pourra rien.

— Qu'est-ce que tu fais là, collé à ta chaise ?

Je sursaute et me retourne. Nelson est appuyé contre le cadre de la grande porte. D'un pan de sa chemise il nettoie ses lunettes. Qui est au juste Nelson ? Et où sommes-nous exactement ? Que font ici ces matelas empilés, ces anneaux descendus du ciel et qui oscillent dans la lumière trop violente, ce cheval allemand, ces stupides barres parallèles ? Et ce drap blanc, pendu aux poutres du plafond ?

— Ça finit mal, hein ?

Nelson ne sait pas. Il ne peut pas savoir. Ce n'est pas fini. Ça ne peut pas être fini. Le héros blond et triste, mon frère, attend derrière le grand carré blanc.

— Étonnant qu'ils nous aient laissés voir ce film, non ?

En fait il s'agit d'un miracle, à moi seul destiné. Mais je n'en souffle mot à Nelson. Je me tais, cramponné à ma chaise. Il faut qu'il parte, avant que mon sauveur se lasse. Nelson n'est pas mon sauveur. J'aurais dû m'en douter. Mon sauveur, c'est James. Il ne faut pas qu'il s'évanouisse dans la lumière et regagne la rue sinistre où tournoient, dans la nuit tombée sur le monde, les éclairs des voitures de police.

— En fait, non, pas si étonnant que ça. Ils font des erreurs, parfois, tu sais. Ils ont sans doute cru que, puisqu'il est puni à la fin, ce rebelle-là qu'on va emprisonner pour, mettons, excès de vie, nous servirait d'exemple. Qu'est-ce que t'en penses ?

Sa voix est trop proche. Qu'est-ce qu'il attend, planté devant moi ? Il faut qu'il parte ! S'il me touche, s'il tente une caresse, une bourrade, je lui saute dessus. Il se penche. Il effleure le bois de ma chaise. Il s'accroupit devant moi, ses lunettes grimpées tout en haut du front. J'ai droit pour la première fois, il me semble, à son regard tout nu : deux très beaux yeux noirs, tendres, rieurs, frangés de longs cils roux.

— Tu peux chialer si tu veux. J'ai versé quelques malheureuses larmes, moi aussi. C'est un beau film. Mais… c'est un film, mon cher ! Une fiction, peut-être nécessaire, mais une fiction tout de même !

Je lève la tête et aperçois enfin les agrès du gymnase, les chaises qu'on a empilées, l'écran vide que déjà le pion décroche.

— Si tu veux, je l'emmène au local.

— Pour quoi faire ?

— Pour rien. Pour que tu me parles un peu, peut-être, de ta fureur de vivre à toi…

— Non !

— D'accord, d'accord ! D'ailleurs tu fais bien de garder tes secrets. C'est bien connu, les murs ont des oreilles ici, non ? Et puis, quoi qu'on dise, quoi qu'on fasse, on se console pas. Il faut pas se consoler. On construit du solide avec le chagrin, quand on lui survit. Et quand les autres nous lâchent un peu…

— Je comprends pas.

— J'ai perdu mon petit frère, l'été dernier. Il s'est

noyé. J'aurais pu le sauver. J'ai nagé trop lentement. Je l'ai ramené mort sur la grève. Il avait douze ans. Il aurait aujourd'hui exactement ton âge. Et il avait la même fureur de vivre que toi.

— Mais…

— C'est comme ça ! Je me console pas. Je travaille. Je réussirai pour deux. Il le faut. On se console pas, on invente. C'est tout ce qu'on peut faire. On invente une suite, on travaille… Et les autres ne peuvent ni nous comprendre ni nous arrêter. Tu vois ?…

— Non.

Il ne me caresse pas l'épaule, n'ébouriffe pas mes cheveux. Je respire et en même temps je suis déçu, brusquement découragé. Avec Nelson, il arrive toujours quelque chose, et ce quelque chose en même temps n'arrive jamais. Il se lève et marche à grands pas, en se tordant les mains, jusqu'à la porte où il s'arrête. Il lève le bras pour saisir la barre d'un trapèze qu'il envoie valdinguer au plafond. J'attends. Il attend avec moi. Le trapèze ne redescend pas. Nelson lâche un sifflement aigu et aussitôt le trapèze dégringole.

— Magie blanche, mon cher ! C'est pas du cinéma, ça fait pas chialer, mais quand même, ça t'en bouche un coin, non ?

Puis il sort, en chantonnant « Ah ! la fureur de vivre… » sur l'air de l'*Agnus Dei*.

*   *   *

J'étais de plus en plus dissipé. Je perdais constamment le fil. Je ne suivais pas. J'étais absorbé, détaché, absent. Deux fois par semaine, Latendresse me faisait venir à son bureau. La vigne dans la fenêtre avait perdu toutes ses feuilles. C'était tout bonnement une vigne morte, agrippée au mur. Je n'avais plus de visions. J'étais engourdi, presque tranquille. J'attendais. Je n'avais pas perdu le fil, il n'y avait pas de fil. Ce serait à moi et à moi seul de le tisser, comme l'araignée son cordon de soie invisible, ce fil sur lequel avancer, monter, descendre, survivre. Ça viendrait, tôt ou tard. Il me fallait attendre encore. C'était long mais je prenais l'habitude de l'endurance. Je persévérais à la manière du coléus qui boit la lumière au bord de la fenêtre. Non pas résigné ni même patient, mais alangui, ralenti, on aurait dit au repos. Latendresse s'énervait.

— Où êtes-vous, là ?

— Pardon ?

Il soupirait, déboutonnait brusquement le haut de sa soutane. Je lui donnais des chaleurs. Ça me faisait sourire, ce qui le mettait en rage. J'avais soudain pitié de lui. Ce ne devait pas être drôle de s'acharner sur moi comme la tempête sur un rocher. Je lui lâchais un peu de lest, articulant poliment :

— On m'attend en classe, vous savez.

Il soupirait. Je soupirais aussi. Il se levait et se mettait à tourner autour de moi, en se frottant la nuque. Non, décidément, cette histoire de stigmates était pure invention : ses poignets ne portaient nulle sainte cicatrice. Je souriais encore et aussitôt transformais en bâillement ma grimace, pour ne pas l'irriter. Il demandait :

— Vous êtes fatigué ?

— Non, pas vraiment.

Je ne savais plus quelle contenance prendre pour qu'il me lâche. Il attaquait autrement.

— À présent, vous ne parlez plus dans les corridors, vous chantez ! Ça n'est guère mieux !

Je chantais donc tout haut, moi qui croyais bourdonner confidentiellement ? C'était possible. Nelson déteignait sur moi. À tout bout de champ, je turlutais mes états d'âme, sur des mélodies familières. Grimpant l'escalier, me débarbouillant le visage au dortoir, relisant une dictée, en classe, je fredonnais, sur l'air du *Veni Creator* ou de l'*Ave Maria*, des paroles de mon invention. J'inventais un patois à mes langueurs, à mes vertiges. Je solfiais mes craintes, mes désirs, ma folie que les vocables insuffisants que je connaissais ne parvenaient plus à traduire. Je ne deviendrais peut-être pas auteur, après tout, mais barde, ménestrel, troubadour ? « Castrat ! » me criait parfois Nelson, exaspéré. « Tu chantes tout trop haut et trop fort ! » Qu'importait. Castrat, trouvère, chantre de trottoir, je n'avais pas une bien grosse ambition. Je travaillais ma voix en soliste et selon mon humeur, un point c'est tout. Ça me suffisait et comme ça les heures passaient. Imaginant côtoyer ce qu'ils appelaient un sonné, un frappé ou un marteau, les gars passaient leur chemin et me laissaient tranquille.

— Vous ne vous intéressez à rien, surtout pas à vos cours ! Vous traînez partout, on doit sans cesse vous chercher ! Vous n'êtes jamais où il le faut, quand il le faut ! C'est désespérant !

— Il ne faut pas vous désespérer pour si peu…

Je voulais faire preuve de gentillesse, de compassion, mais ne réussissais qu'à déchaîner son courroux. Je baissais les yeux, examinais attentivement mes genoux. Je m'ennuyais. J'aurais bien aimé me lever de ma chaise et me mettre à tourner, moi aussi, dans la pièce. Nous aurions pu tournoyer ensemble, Ladétresse et moi, jusqu'à la fin du semestre, jusqu'à la fonte des neiges. Je laissais encore une fois échapper mon petit rire fou. Franchement, il ne me passait par la tête, depuis peu, que des facéties ou des chansons. Il y avait pour sûr matière à se demander ce qu'il convenait de faire de moi. Je tâchais de me composer un air réfléchi, contrit. Je disais :

— Je vous comprends. Je suis pas comme les autres.

— À qui le dites-vous !

Je pensais : « Restons-en là. » Il ne disait plus rien. Je pensais encore : « Je ne veux pas. Je ne voudrai jamais. Vos remontrances tombent sur moi comme la pluie sur le dos d'un canard. » C'était encore une niaiserie. Je n'étais définitivement plus capable que de fadaises, d'enfantillages. Nelson disait « de balivernes ». En cela j'étais comme les autres. Ça me réjouissait, tout à coup, cette ressemblance, cette affinité, cet accord avec les gars. Au fond, nous étions pareils, identiques les uns aux autres, comme les prisonniers derrière leurs barreaux. Puis je ne pensais plus rien. J'avais de nouveau perdu le fil de mes pensées, de ce tête-à-tête inepte avec Latendresse, de cette journée qui n'en finirait pas et qui pourtant s'achèverait comme les autres, par la prière à la chapelle et l'ascension endormie jusqu'au dortoir.

J'étais en veilleuse. Pareil à ce bâton de bambou, avec son long fil noir muni de douze hameçons où frétillaient de gros vers dodus et qu'on appelait « ligne dormante », qu'on laissait, comme disait papa, « travailler toute seule, toute la nuit », je m'absentais, tandis que quelqu'un, ou quelque chose, besognait pour moi, je ne savais comment, tout au fond. Je semblais paresser, mais en moi ça travaillait fort. Je me sentais dépris de Latendresse, dépris du collège, dépris des autres, dépris du temps comme de mes propres pièges. Je flottais, en suspension, n'émergeant tantôt ici et tantôt là que pour faire croire que je suivais le courant. Et je chantonnais en attendant je ne savais quel désastre, quelle rédemption.

— Allez, disparaissez ! Vous avez encore raté un cours, vous devez être content, non ?

Comme l'écrivaient les auteurs des insignifiantes aventures que, faute de mieux, je lisais toujours : « Je filais sans demander mon reste. » Une chose est sûre : en quittant le bureau de Latendresse, je ne laissais rien derrière moi. Pas même l'effluve des bonbons à la menthe que je suçais afin de dissimuler l'odeur de la cigarette que j'avais savourée, seul, au fond du préau, avant de monter chez lui.

*   *   *

Le père Gagnon me fait parvenir un billet à l'étude.

Vous ne venez plus me voir. Le supérieur s'inquiète.
Venez, au moins pour vous confesser. Je vous attends.

Décidément, tout le monde voulait me voir, à présent que je ne dérangeais plus et n'avais plus rien à dire. Je n'allais plus voir mon « directeur de conscience » parce que le vieillard me dégoûtait. Sa chambre embaumait la vieille sueur, la solitude rance. On aurait dit qu'un fromage moisi traînait en permanence sous son lit, ou derrière le calorifère. Et puis il promenait, trop longtemps à mon goût, ses mains molles sur mes épaules, mon cou. Il me soufflait au visage son haleine de vin de messe, en marmonnant : « Il faut vous apaiser, il faut vous apaiser ! » Je ne m'apaisais pas, au contraire j'étais pris d'un écœurement radical. J'en venais à souhaiter vomir mon déjeuner sur le vieux couvre-lit où il me faisait asseoir, entre Jésus aux bras écartés et six visages d'enfants débiles qui fixaient sur l'auréole du Maître de grands yeux de veaux qu'on va mener à l'abattoir. Les dents serrées, j'épelais en silence les mots brodés tout en haut du ciel de la courtepointe : « Laissez venir à moi les petits enfants… » L'envie me prenait de déchirer de mes ongles ces faces de chérubins qui se laissaient si stupidement enjôler. Quand il m'attrapait le bras, m'obligeant à m'agenouiller sur le prie-Dieu niché sous la fenêtre, je décochais un clin d'œil à mon visage réfléchi dans la vitre et déclarais, au fond de moi : « Tu vas en avoir pour ton argent ! » Pendant qu'il dépliait son étole, la baisait pieusement et la posait avec langueur sur ses épaules — imitant le gracieux rond de bras de ma tante Yvonne se couvrant de ce qu'elle appelait, la bouche en cul de poule, son « étoile de vison » —, je préparais ma confession. Je connaissais tant de péchés exquis, que j'aurais aimé avoir commis, auxquels les gars disaient se livrer dans les toilettes du dortoir, au fond du préau, derrière le rideau de la douche. Je savais que ces accouplements-là, rapides et sauvages comme des tabassages et dont les gars faisaient orgueilleusement le récit au réfectoire, n'étaient que des façons de vendre la peau de l'ours sans l'avoir tué. Comme moi, les gars prenaient leurs vessies pour des lanternes et colportaient des transgressions dont ils n'étaient pas plus capables que moi. Mais je savais aussi — le diable seul aurait pu dire comment — que le vieil homme raffolait de ce déchaînement d'obscénités, de blasphèmes et d'échauffourées dans les branches. Je les tirais aussi facilement de moi que si je m'étais adonné en personne à ces fureurs de jeunes loups en chaleur. Je prenais un méchant plaisir à décrire au bonhomme des joutes vicelardes et cruelles dans la seule lueur de la sentinelle. Je prenais bien soin de me donner le rôle de la victime, bien sûr, de celui qu'on fait participer contre son gré. Je m'enflammais, débitant à la queue leu leu des gesticulations osées, violentes, qui me paraissaient tout à coup des exploits insignifiants et surtout bien fatigants. Quand je n'imaginais plus rien, brusquement me revenaient les marins concupiscents de papa, qui faisaient asseoir sur leurs cuisses des belles-de-jour dégrafées. Je repartais, mêlant aux empoignades viriles dans un coin du gymnase de longues crinières rousses tout à fait improbables et qui ne faisaient pas ciller le moins du monde mon confesseur. Il était aux anges, ou plutôt aux beaux démons que j'inventais pour lui et qui le faisaient transpirer. Il caressait mes chimères et me laissait partir en oubliant de me donner l'absolution. Je savais qu'il n'aurait eu, pour ma détresse sans éclat, pour mon désespoir inexplicable, qu'une écoute distraite et vite excédée. Peu à peu, je m'étais fatigué de monter chez lui. Mes récits salaces, comme tout le reste, avaient fini par m'ennuyer. Remettant le billet au pion qui gardait l'étude, je partais hanter les corridors jusqu'à ce que sonne la cloche du souper.

Ce soir-là, je me décide à monter le voir. Je m'ennuie trop. Peut-être qu'une fausse confession, foisonnante de beaux péchés d'impureté, me sortira de ma torpeur ? Et puis, il y a autre chose. Les lampes qui éclairent l'étude à tout moment faiblissent, comme s'il allait y avoir de l'orage. J'ai des fourmis dans les jambes et en même temps je suis amolli, indolent. Je quitte la salle d'un pas de somnambule et grimpe péniblement les marches, qui sont deux fois plus nombreuses que d'habitude. J'ai du plomb dans les veines, des petites planètes tourbillonnent autour de ma tête. Je m'adosse au mur du corridor et supplie la croix nue pendue au mur : « Faites que je tombe pas malade encore ! » Mais il ne s'agit pas de moi. La menace de perdition qui plane dans la pénombre ne me concerne pas, en tout cas pas directement. C'est agaçant, cette impression qu'une malédiction me taraude, qui ne m'est pas destinée. Je ferme les yeux, reprends mon souffle et marche jusqu'à la porte. Il m'arrive d'avancer comme ça en rêve, dans une eau épaisse qui me refoule. Comme d'habitude, je déchiffre à l'envers le nom de mon confesseur, sur le petit carré de carton punaisé tout en haut de la porte : « NONGAG ». C'est ainsi que je le nomme, quand je me moque de lui, avec Jean-Pierre, avec Nelson : « NONGAG-qui-n'est-pas-drôle ». Mais ça ne m'amuse pas, ça ne m'amuse plus. Je frappe trois petits coups. On dirait que je ne signale pas ma présence mais ausculte discrètement la cloison d'une oubliette. Pas de réponse. Ça n'a rien d'inhabituel : le père a une toute petite voix qui ne traverse pas les murs. Je tourne la poignée. La porte s'ouvre toute seule. Il est assis dans son fauteuil, les mains croisées sur son gros ventre, ses lunettes tombées sur le menton. Un mince filet de bave relie le coin gauche de sa bouche au seizième bouton de sa soutane. Je sais tout de suite. Je le sais parce que je compte les boutons, mesure précisément la longueur du filet de salive, examine implacablement le ventre qui ne se gonfle pas, ne se dégonfle pas non plus. Je le sais parce que j'ai été mystérieusement prévenu. Je le sais parce que je suis monté sans raison jusqu'à sa chambre. C'est à moi qu'on avait demandé de fermer les yeux de grand-père. Maman prétendait que ça portait chance. Elle disait : « Fermer les yeux d'un mort allonge nos jours. » Je me penche sur lui et pose délicatement mes pouces sur ses paupières. Je me sens solennel et compétent. Je n'éprouve rien, sinon peut-être le regret de n'avoir jamais rien trouvé d'autre à raconter à ce vieux monsieur fatigué, trop curieux, que des grossièretés fabuleuses qui avaient dû lui faire dangereusement battre le cœur. Je pense : « Pour lui, c'est fini. » Sans aller jusqu'à l'envier, je ne le plains pas. Peut-être est-on vraiment délivré, à la fin, comment savoir ? Soudain on lâche prise, on ne s'appartient plus, on n'a plus mal, on n'attend plus : c'est fini. Peu importe que ça n'ait jamais commencé, désormais c'est vraiment fini, et alors on ne sait plus ce qu'on a tant voulu et qui jamais ne nous a été donné.

Je tourne en rond dans la pièce, détaillant les pauvres objets qui jusqu'à la fin lui ont tenu compagnie : son étole violette, une fougère étiolée dans son pot, le gros missel à tranche rose, un crucifix doré sur lequel est pendu un Christ aux blessures à demi effacées, le fameux couvre-lit représentant le Messie encerclé d'enfants. Sur le bureau, un cahier est ouvert. À l'encre violette, le père a tracé ces mots d'une main tremblante :

> *Ôtez-moi la vie, Ô Dieu ! Reprenez-moi*
> *N'attendez pas un jour, n'attendez pas une heure*
> *Que vais-je devenir jusqu'à ce que je meure ?*
> VICTOR HUGO

Je frissonne de partout. Je marche jusqu'à la fenêtre. Je dis, tout haut, comme si le père pouvait encore m'entendre :

— J'imagine que ce sont vos dernières impressions de moi ? C'est gentil comme tout !...

Je me tourne vers lui. Le père dort mais ne repose pas en paix. Sa bouche est tordue, son front est barré de trois gros plis profonds. Peut-être que, même mort, on ne perd pas le souci de vivre ? Peut-être qu'on continue d'espérer que les jours rallongent, que quelqu'un vous aime enfin ? Peut-être continue-t-on d'attendre ? Peut-être n'est-on que le témoin de sa vie, le témoin seulement, et ça jusqu'à la fin ?

Je quitte la chambre au pas de course. À présent, j'exulte, puisque je cours apprendre aux autres la nouvelle.

*   *   *

Les gars l'avaient surnommé « Tocate-et-Fugue ». Pour se moquer de lui, ils lançaient les bras loin en l'air, les faisaient furieusement balancer et vagissaient à tue-tête : « Vrouch ! Shlang ! Doux ! Plus doux ! Et re-shlang ! », riant comme des perdus et se tapant sur les cuisses. Mais il était déjà trop tard pour tenter de me persuader que le père Gobeil était un sonné ou un marteau. J'aimais déjà ce grand prêtre échevelé et gesticuleur, qui avait à la place des nerfs des cordes de violon, et en guise de voix le contralto surnaturel d'un tuyau d'orgue. Son surnom, « Tocate-et-Fugue », évoquait pour moi un entêtement hors du commun, doublé d'un besoin radical de s'échapper, de s'envoler, de gagner je ne savais quel grand large, en suivant la musique. C'était avant qu'il ne s'intéresse, d'abord à mon timbre de faux bourdon, puis à mon visage extasié quand, comme disait maman, il « touchait l'orgue ». Posant ses longues mains aux doigts extraordinairement effilés sur le clavier, il disait :

— Écoutez bien le bel orgue !

J'entendais « le bel orbe » et je voyais, tandis que montaient au ciel de la chapelle les arpèges assourdissants, les larges anneaux d'une étoile au fond de l'espace sidéral. Je n'étais plus qui j'étais mais un minuscule éclat incandescent, arraché par le vent galactique à quelque planète morte et qui dérivait seul dans la nuit infinie.

Un après-midi, après qu'il eut tenté, à grand renfort de « shlang », de « vrouch » et de « tout-doux », d'aiguiller ma voix en direction du chœur final du *Messie* — *Brisons les entraves et jetons loin les jougs* —, le père Gobeil m'attrapa par le bras.

— Restez !

Les gars quittèrent un à un le jubé, en me reluquant de travers. Sans doute le père allait-il me retirer mon petit solo — *Nous ne mourrons pas tous, mais tous nous serons transformés.* Je forçais ma voix, je compromettais la tension poignante de l'apothéose, j'étranglais les mots qui devaient clamer notre victoire sur la mort. Je gâchais ce que le père appelait, les bras en croix et les yeux au ciel, « la belle communion des voix ». Il me fit asseoir sur le banc de l'orgue, se planta devant moi et me dit :

— Vous avez l'oreille juste !

Je fus tenté de lui demander laquelle. Persuadé qu'il faisait allusion à ma coupable habitude de prêter l'oreille aux affaires qui ne me regardaient pas, je me raidis et détaillai minutieusement le bas de sa soutane.

— Suivez-moi !

Il faisait des pas de géant, je courais derrière lui dans le corridor. Sans doute m'emmenait-il chez le supérieur, où serait évoquée, à la suite de mes manquements et de mes défaillances, ma vilaine insistance à chanter tout trop haut et à pleine tête. Mais nous avions dépassé à toute allure la porte du bureau du supérieur. Déjà nous longions le salon des curés, grimpions une volée de marches, empruntions un étroit couloir où s'épanouissaient de grosses fleurs d'un rouge violent qui paraissaient jaillir des murs. On s'arrêta devant une porte toute blanche, où étaient fixés, avec des morceaux de cette bande adhésive dont les gars entouraient la palette de leurs bâtons de hockey, les portraits de ses compositeurs bien-aimés. Je pensai à ces avis de recherche, aperçus à tout bout de champ dans les bandes dessinées que je feuilletais clandestinement au dortoir. Sauf que ces bandits-là affichaient des airs extasiés, de désarmants rictus de martyrs. Le père me fit pénétrer à sa suite dans une vaste pièce éclairée par trois grandes fenêtres, encombrée de livres, au centre de laquelle trônait, juché sur un tabouret, le plus beau phonographe que j'aie jamais vu, en bois blond, ouvragé comme la niche du saint sacrement dominant l'autel de la chapelle. Autour de cette merveille étaient disposées deux rangées de chaises, sur lesquelles semblaient encore assis les fantômes d'une douzaine d'auditeurs que leur extase venait tout juste de faire s'envoler. Le père tendit le bras et je pris place sur la dernière chaise du dernier rang, le corps raide et les oreilles molles.

— Je crois que vous ne m'avez pas compris. Vous entendez chaque note avec une justesse absolue !

Je ne parvenais pas à démêler s'il était content de moi ou s'il était pris de colère à l'idée que, en l'écoutant avec ferveur, je privais toute musique de sa mystérieuse utilité pour les pauvres idiots à demi sourds qu'étaient mes camarades. Brusquement, il se jeta sur le plancher. Quelque chose venait de l'assommer. À quatre pattes, il gagna le bas d'une armoire, dans laquelle il se mit à fouiller. Puis il se déplia et s'avança jusqu'à moi, brandissant la pochette d'un disque. Il la lança sur mes genoux. On y voyait un orgue deux fois plus gros que celui de la chapelle, planté au milieu d'un champ de marguerites et survolé d'un petit nuage bleu, au centre duquel souriait le grand Jean-Sébastien Bach en personne, coiffé d'une perruque qui lui cascadait sur les épaules.

— Écoutez !

C'était un ordre. Je l'entendis quitter la pièce et fermer doucement la porte derrière lui. Je fermai les yeux et aperçus d'abord le champ que je venais de voir sur la pochette du disque. Il me semblait le reconnaître. Peut-être était-ce celui où, en juillet, j'allais conjurer un dieu qui ne me connaissait pas de descendre m'expliquer la raison du découragement qui ne me lâchait plus ? Au premier arpège, je sus précisément où j'étais et qui j'étais. C'était la forêt du conte de Perrault et j'étais ce que depuis toujours j'avais été : le Petit Poucet, *ce pauvre enfant souffre-douleur de la maison, à qui on donnait toujours tort, qui cependant était le plus avisé de tous ses frères car il parlait peu mais écoutait beaucoup.* J'avais les poches remplies de quignons de pain, grâce auxquels j'étais sûr de retrouver facilement mon chemin. Ça recommençait. C'était mon histoire. J'allais me perdre et rencontrer l'ogre, dont j'avais aperçu la maison en grimpant dans un arbre. À présent, je savais. Poucet ne se doutait de rien, mais moi je savais. Les oiseaux mangeraient les miettes de pain et je serais perdu. Brusquement, la musique s'arrêta. J'entendis la voix au fond de moi qui chuchotait : « Tu peux changer l'histoire ! Écoute simplement la musique ! » Quand trompeta l'attaque de l'*allegro*, celui du deuxième mouvement, je me mis à courir, le cœur dans la gorge. Peut-être n'étais-je pas seul, peut-être quelqu'un courait-il aussi derrière les arbres et venait-il vers moi ? Soudain l'orgue flûta, on aurait dit un pipeau. C'était mon cri dans les branches, mon appel au secours. On m'entendrait, on accourrait ! Je repris ma course et aussitôt me pris le pied dans une butte de marmottes. Je tombai mollement dans l'herbe. L'orgue gronda. J'étais perdu. Ma folle espérance n'avait été qu'un attrape-nigaud. J'allais m'endormir et l'ogre — ou papa, mais c'était peut-être pareil — me trouverait facilement, couché sur la mousse. Une note basse, soutenue me réveilla et je repris mon élan. Soudain, tout s'arrêta : la musique, l'espoir, la peur, ma galopade essoufflée. Il n'y eut plus ni clairière ni sentier. Il n'y eut plus rien et je perdis le souffle. C'était ma fin. Encore une fois, je me laissai affreusement aller. Puis l'orgue colporta une basse rumeur, qui fit danser l'herbe contre mon visage. La voix reprit : « Ce n'est pas l'ogre, c'est l'orgue ! » J'écoutai longtemps le rire fou de la musique. Puis je me remis debout et détalai en direction de trois têtes d'arbres qui dépassaient de la forêt. C'étaient mes Trois Pins ! Derrière eux s'étalait la baie. J'avais retrouvé mon chemin, grâce à la musique. Elle m'avait empêché de m'endormir, peut-être de mourir. L'orgue tempêta mon arrivée triomphale sur la grève où je m'avançai, faisant s'élever les sternes. Encerclé d'ailes et de cris, j'entrai dans l'eau. Je plongeai. L'orgue s'arrêta pour de bon. Le silence n'était pas un silence de mort, c'était l'aphonie paisible d'une victoire. Je pouvais donc changer mon histoire ? Je pouvais donc sortir de l'épaisse forêt, m'égarer dans des clairières, tomber, me relever, penser mourir, souffrir cent désespoirs, puis me relever, me remettre à courir, distancer l'ogre et finalement atteindre la baie qui était là, au fond de moi, alors que j'étais toujours assis sur ma chaise ? Le salut, c'était donc ça ? De toute évidence, par la musique quelque chose venait de m'être révélé. Quelque chose de capital, peut-être de durable. Je songeai à mes états de grâce devant la fenêtre où brûlait un soleil lointain qui me voulait du bien. Mais la musique faisait mieux encore : elle me redonnait le monde perdu. Il venait d'y avoir échange des sangs et des sèves entre moi et la baie. La musique avait fait fuir l'ogre. J'étais peut-être sauvé ? Le père revint. Il mesura en silence ma contenance de délivré et dit :

— Revenez aussi souvent que vous voudrez.

Je revins souvent. J'y retourne encore aujourd'hui, dans cette chambre où pour la première fois je chaussai les bottes de sept lieues, les bottes de mon père, les bottes de l'ogre, capables de me *faire aller de montagne en montagne et traverser des rivières aussi aisément que le moindre ruisseau.*

*   *   *

— T'es pas allé dans ta famille ?

Je sursaute. Jean-Pierre a dû entrer sur la pointe des pieds dans le préau. Depuis quelque temps, je ne suis plus aux aguets, je ne surveille plus mes alentours, je n'ai plus rien ni personne à l'œil. Je me déplace en zombie, j'apparais, je disparais. Nelson a raison : on laisse tranquille celui qui vit caché. Ce matin encore, en riant, il m'a dit : « On s'acharne pas sur le bernard-l'ermite enfoui dans sa coquille. »

— Tu veux pas me parler ?

Sa voix a changé. Elle a dû muer, depuis le temps. Je ne lui réponds pas. Je ne me retourne pas non plus. Je suis bien aise de ma nouvelle désinvolture. On ne peut plus m'apostropher, me questionner à brûle-pourpoint, réclamer de moi une attention que je n'accorde plus. On ne peut plus m'appeler, je suis ailleurs, où il est possible d'entendre sans écouter, d'apercevoir sans voir.

— Pourquoi ?

Ce n'est plus sa nouvelle voix. Ce n'est pas l'ancienne non plus. C'est la mienne. C'est ma voix de pauvre enfant perdu, assis dans l'escalier. Et c'est ma question qu'il pose, ma question pour laquelle il n'y a pas de réponse. Ma question, que je ne pose plus, que je ne poserai plus jamais à personne. Trop vite, je réplique :

— Pourquoi quoi ?

Pour la première fois depuis des semaines, je suis ébranlé. Ma carapace se fend, ma belle indifférence craque, la honte me brûle. C'est comme si on venait de verser du sel sur une coupure que je n'avais pas encore aperçue. Je n'en reviens pas : je viens d'assommer Jean-Pierre avec la pierre dont on s'est si souvent servi pour me frapper. Je suis pris d'un tremblement que j'avais oublié. J'ai l'arrière de la tête en feu. Ce sont les yeux de Jean-Pierre, ces deux poignards plantés dans ma nuque. Je me retourne. Je pleure. Je n'ai donc pas désappris ? Curieusement, je ne me sens ni furieux ni trahi, mais soulagé. Je n'étais pas solide, j'étais cassant. Je n'étais pas absent, j'étais engourdi. Ma désinvolture n'était qu'une manière de déguerpir devant moi-même en pensant m'échapper. Et puis tout est toujours à refaire avec le chagrin, je le sais bien. Il ne disparaît jamais. Il se recroqueville, se replie au fond de toi, il attend sagement son heure. J'ai voulu l'oublier, il se venge, il me rattrape. Apparemment, il a rattrapé Jean-Pierre avant moi et ne l'a pas épargné. Le pauvre a les yeux battus, ses lèvres tremblent, sa mèche lui tombe mollement sur la joue. Où donc était-il passé ? Avec qui a-t-il parlé, avec qui a-t-il joué ? Que l'a-t-on laissé devenir sans moi ? C'est une loque. Si je lui ouvre les bras, tout va recommencer : les larmes, les jérémiades, la longue plainte à deux voix, la tendresse malaisée, la peur, les sarcasmes, les coups. Mais peut-être aussi le fou rire, la connivence, la remise de nos peines, l'amitié qui réchauffe, augmente la résistance, rend invulnérable ?

C'est lui qui bouge le premier. Il comprend, bien sûr, que j'étais parti sans m'en aller, que je m'étais éloigné sans m'enfuir. Que nous sommes toujours ces deux emprisonnés qu'on oublie facilement, qu'on laisse tranquilles précisément parce qu'ils sont deux. Évidemment nous pleurons sur l'épaule l'un de l'autre. Ensuite, nous parlons, adossés au mur, avisant sans vraiment les voir une douzaine de gars qui ont planté leurs bâtons de hockey dans un banc de neige et jouent à se poursuivre, entre les bandes de la patinoire qui a fondu. L'hiver décline. Ce n'est peut-être qu'un répit, une trêve. Peu importe : l'air plus doux sent la sève, le gravier mouillé, la pierre chauffée par le soleil.

— Non, j'suis pas allé chez nous. Et j'irai pas avant les vacances de Pâques.

— Moi non plus.

— Ah ?

— Non.

— Je comprends.

— Moi aussi, je comprends. Je veux dire…

— Oui, oui. Et puis le dimanche, au collège, c'est presque plaisant. Y'a pas beaucoup de gars, on mange mieux, on est tranquilles…

— Oui, c'est vrai…

Ce n'est pas une conversation, c'est une osmose, un tendre tête-à-tête de profil dans la lumière clémente. Quelques mots suffisent pour que l'autre perçoive ce qui n'est pas évoqué, ce qui ne peut pas se dire. Le cœur se dilate. Les mains voyagent toutes seules sur les pierres fraîches du mur. Nos corps existent à nouveau. Nous avons duré. Nous durons toujours, vaille que vaille. Nous avons su attendre. Nous nous étions peut-être trompés, en déclarant le temps trop long. Il a passé, il passe. Peut-être continuera-t-il à s'écouler comme ça, *andante, largo, allegro, moderato.* Depuis peu, je rapporte tout à la musique, qui me rend patient, confiant, presque consolé. Les mouvements se suivent et ne se ressemblent pas. C'est toujours la même mélodie, mais il y a des modulations. Ce qui était apparu disparaît, ce qui s'était arrêté recommence. Ce qu'on appelle l'harmonie consiste peut-être simplement à tourner sur soi-même, comme la terre, autour d'un soleil qu'on n'aperçoit pas. Je ne sais pas. Je ne sais plus rien, et c'est bien comme ça. Je ne parle pas à Jean-Pierre de la musique. Il insisterait pour m'accompagner chez le père Gobeil où je sais qu'il ne pourrait pas s'empêcher de renifler, de parler, de battre la mesure avec le bout de sa chaussure contre les barreaux de sa chaise. Je l'imagine si bien que ça me fait rire.

— Pourquoi tu ris ?

— Pour rien.

— Tu ris jamais pour rien !

— Depuis quelque temps, oui.

— C'est nouveau !

— Si tu veux, oui, c'est nouveau…

Brusquement, je lui attrape la nuque et le force à coller son front contre le mien. Je sais que je ne dois pas lui dire ce que je vais lui dire, qu'il y a du danger à l'aimer comme je l'aime, mais c'est plus fort que moi. En l'aliénant à moi, je me fortifie, je m'épaule moi-même, je me protège. Arc-bouté à lui, ce ne sont pas ses yeux que j'aperçois, mais deux flammes bleues qui vacillent.

— Ils nous auront pas, hein ? Toi et moi, ils nous auront pas !

— Non, non !

— Jure-moi !

— Je te le jure !

Pour moi, il donnerait, je le sais, sa main au feu, tendrait son cou à la hache, sauterait au bout du quai, les poches pleines de cailloux. C'est si bon de savoir ça de nouveau. C'est si fort, si poignant, ça rachète tout.

Il n'y a pas de cloche pour nous interrompre. Le

dimanche, nous allons et venons à notre guise. Long-temps, nous restons dans le préau, à parler de tout et de rien, assis sur nos manteaux, le visage et les bras au soleil. Nous jouons à « J'aimerais tellement », un coq-à-l'âne de notre invention, qui nous autorise à catapulter, la voix perchée et le regard lancé droit devant nous, des vérités difficiles à dire. Le jeu amuse — ou délivre — Jean-Pierre davantage que moi, aussi est-ce à chaque fois lui qui commence :

— J'aimerais tellement qu'on soit amis à la vie à la mort.

— J'aimerais tellement être fort et que tu le sois aussi.

— J'aimerais tellement que tu croies que nous sommes forts et qu'on n'en parle plus.

— J'aimerais tellement que tu me fasses confiance et que…

— J'aimerais tellement que tu…

— J'aimerais tellement que tu me laisses finir mes phrases !

— J'aimerais tellement que tu m'écoutes, toi aussi, jusqu'au bout !

— J'aimerais tellement que tu cesses d'exiger toujours des choses impossibles.

— J'aimerais tellement que tu me laisses libre d'exiger des choses impossibles, des choses que tu exiges aussi sans vouloir l'admettre.

— J'aimerais tellement être né chez vous plutôt que chez nous.

— J'aimerais tellement que tu te rendes compte de ce que tu viens de dire.

— Je m'en rends compte, crois-moi !

— T'as pas dit : « j'aimerais tellement » !

— J'aimerais tellement être dans ta peau plutôt que dans la mienne.

— T'aimerais tellement te faire battre par mes frères, te faire enfermer dans l'étable avec un cheval enragé ou une vache qui pisse le sang ? T'aimerais tellement obéir à ta mère et réciter tout un rosaire, les bras en croix, derrière le poêle, où toute la maisonnée, y compris la grande horloge, a oublié que t'existes, que t'as jamais existé… ?

— T'as pas dit : « J'aimerais tellement » !

— J'ai dit : « T'aimerais tellement », c'est pareil !

— J'aimerais tellement…

— J'ai pas fini ! J'aimerais tellement que tu cesses de te croire le seul orphelin au monde, le seul étranger sur la terre, le seul détraqué de l'univers !

— J'aimerais tellement que ça soit aussi simple.

— J'aimerais tellement que ma parole compte autant que la tienne.

— J'aimerais tellement mourir avant de commencer à vivre la vie mourante de tout le monde.

— J'aimerais tellement disparaître — j'ai pas dit mourir ! — disparaître avec toi dans une espèce d'avenir radieux et révolutionnaire.

— J'aimerais tellement que tu puisses rêver en gardant les pieds sur terre et les yeux en face des trous.

— J'aimerais tellement que tu te taises, à présent.

— J'aimerais tellement que ça soit possible.

— C'est possible, si tu le veux !

— Non !

— J'aimerais tellement…

— Très bien, je me la ferme, c'est fini !

Nous écoutons longtemps le silence extraordinaire de la cour. Le soleil descend dans les arbres, qui ne savent pas encore qu'ils ont recommencé à vivre. La tête de Jean-Pierre tombe sur mon épaule, ses cils battent contre ma joue, son souffle tiède caresse mon cou. Un répit, une trêve, la cessation de toutes les hostilités. Quasiment le printemps.

*　　*　　*

Le lundi, nous assistâmes à son entrée triomphale dans Jérusalem, à dos d'âne, sur un chemin de palmes. Le mardi, à son dernier souper, à la trahison de Judas, au chagrin inconsolable de Jean, son préféré. Le mercredi, à son procès dans la cour du palais de Ponce Pilate, qui finit par s'en laver les mains et abandonner le roi des Juifs à ses bourreaux. Le jeudi, à la scène du mont des Oliviers, où il grimpa pour boire le calice et remettre son âme entre les mains de son père. Le vendredi après-midi, aux flagellations, à la crucifixion entre les deux larrons, le bon et le mauvais. Le vendredi soir, enfin, aux pleurs des femmes, parmi lesquelles sa mère, impuissante à arrêter le centurion qui, du fer de sa lance, lui perça le flanc.

Ce massacre interminable, c'était sa Passion. Il aurait pu éviter tout ça, les injures, les coups, la couronne d'épines, les crachats, les clous dans ses mains, la déchirure par la lance, le fiel et le doute ultime avant le dernier soupir. Il était Dieu. Mais il n'a pas voulu. Ce n'était pas pour lui mais pour nous qu'il endurait tout ça.

Nous ne quittions plus la chapelle. Il nous fallait assister jusqu'au bout au carnage. Au dortoir, je rêvais que des ruisseaux de sang s'échappaient de vingt blessures introuvables sur mon corps. Je me tâtais, me découvrais intact, me rendormais et continuais à voir mon sang couler sur le sable de la baie, sous le regard de mes Trois Pins, incapables d'arrêter tout ce sang qui sortait de moi. J'étais tour à tour Judas qui le trahissait pour une poignée d'écus, Jean qui pleurait sur son épaule, Pierre qui avant le chant du coq le reniait, le centurion qui le fouettait, la foule qui l'injuriait, les épines qui lui lacéraient le front, la lance qui lui transperçait le flanc. J'étais Ponce Pilate, Marie-Madeleine et les deux larrons. Il souffrait, il mourait pour moi, à cause de moi. Je descendais au réfectoire, résolu à ne pas toucher à mon assiette. Je ne méritais pas de me nourrir encore, de survivre, alors qu'il endurait sa Passion. Mais je mangeais, je dévorais. J'avais un appétit de loup. J'étais un pauvre pécheur. J'étais, moi aussi, un bourreau, un assassin.

Nous ne nous parlions plus qu'à la dérobée, entre deux portes, aux toilettes. Entrant ou sortant de la douche, nous échangions d'effrayants regards de persécuteurs impénitents. Nous pouvions toujours nous laver, manger, dormir, tandis que lui… C'était injuste. Nous étions des scélérats. Brodeur, le jeudi saint au soir, sortant de la chapelle, grommelle entre ses dents : « Qu'on l'achève ! Qu'on en finisse ! » Mon cœur s'arrête. Je serai puni de l'avoir seulement entendu, de l'avoir laissé dire. Étions-nous plusieurs à penser comme lui ? Si dans mes rêves je regardais mon propre sang couler, c'était bien fait ! Après tout, j'allais le tuer, après l'avoir trahi, fouetté, après lui avoir craché au visage. Je méritais de me haïr éternellement. Je me rendais malade. À tout bout de champ je perdais connaissance sur mon banc. Je me réveillais, apercevais tous les gars à genoux et m'écrasais sur le prie-Dieu : c'était sur mes épaules qu'on venait de poser sa croix. La fièvre de son agonie m'enfermait dans un cocon brûlant. Je n'étais pas comme lui, moi, je ne ressusciterais pas au bout de trois jours, ranimé par mon père. Si je perdais ma vie, ce n'était certainement pas mon père qui me la redonnerait. Je sortais de la chapelle en titubant. Dans mon dos, les voix reprenaient : *Flectamus genua !* *Levate !* Je ne me rendais pas jusqu'à la porte, je dégobillais sur le plancher. J'essuyais mes vomissures avec mon mouchoir et je poussais la porte. Je me traînais dans la cour, où j'avalais plus de fiel que d'air. Je savais que j'étais fou. Je comprenais qu'on pouvait devenir toqué, fêlé ou marteau. C'était insupportable. Et ça durait, ça durait, ça n'en finissait pas ! Je me faisais, appuyé contre l'orme mort devant le préau, la promesse de partir vite. Moi, je n'attendrais pas d'être au bout de mon sang. J'épargnerais aux autres le spectacle de mon agonie. J'arrêterais ma vie avant mon étripage, les ruisseaux de mon sang et les cris de la foule.

Tout d'un coup, ça s'arrêtait. Il n'allait pas mourir, il était mort, il y avait quasiment deux mille ans ! Et ce n'était pas moi qui l'avais tué. C'est lui qui avait voulu mourir et sa mort était un gâchis. Les hommes étaient toujours fous et incapables de s'aimer. Il avait perdu son sang pour rien. C'était à refaire. Mais qu'on ne compte pas sur moi ! J'existais à peine. Je ne vivais toujours pas. Je doutais de tout. J'avais peur du sang. Qu'on me laisse en dehors de tout ça ! J'avais ma passion à moi, c'était bien assez, ma couronne d'épines, mon calvaire, ma coupe à boire jusqu'à la lie. Je mourrais et ne ressusciterais pas. Ils auraient ma peau. Je devais m'en sortir tout seul. Je me mettais à chanter l'air du *Messie* que j'aimais — *Debout, rayonne, car voici ta lumière.* Je l'allongeais de versets de mon invention, que j'adressais aux brins d'herbe réapparus dans le préau. Ça me faisait du bien. Il me fallait à la fois me souvenir et oublier. C'était compliqué. C'était difficile. Ma survie dépendait de cet équilibre, coton à trouver, entre ce qu'il me fallait à tout prix préserver et ce qu'il me fallait coûte que coûte détruire. Je devais, d'un côté, me démêler, me déprendre, me dégager et, de l'autre, acquiescer, me rallier, consentir. C'était un écartèlement. Je risquais de me disloquer et de me retrouver chez les fous ou, pire, chez les damnés. Les métaphores évangéliques contaminaient toujours mon raisonnement. Je continuais de mesurer mes chances à l'aune de ses paroles à lui. J'étais empoisonné. Il me fallait me purger de ce venin-là. Je me mettais à courir, je galopais en rond dans la cour jusqu'à en perdre le souffle. Je me nettoyais les poumons, le cœur. Il fallait commencer par là. Le reste de mon corps suivrait. Et peut-être mon âme, si toutefois j'en possédais une. Je n'étais pas fou. On cherchait à me rendre fou. Ce n'était pas pareil. C'était important. Je touchais quelque chose. Je commençais à comprendre.

Il ne fallait pas laisser s'éteindre cette lueur qui s'allumait au fond de moi. J'étais qui j'étais. Nul n'était comme moi. Nul n'aurait voulu de mon sort, mais enfin j'en avais un ! J'avais un destin. Je ne l'avais pas choisi, mais il me fallait à tout prix l'embrasser, l'aimer. Je devais me préférer, préférer ma vie à cette progression dangereuse, mortelle qu'on avait prévue pour moi. Je tentais de me calmer. Je m'arrêtais. Je caressais un moment la pierre du mur. Je fermais les yeux. Je voyais ma fenêtre, embrasée de soleil. Je me reposais. Je n'abdiquais pas, je me reposais. Je continuais de choisir, je continuais de me choisir. C'était commencé. Si je demeurais éveillé, attentif, ça ne s'arrêterait peut-être plus. On ne naissait pas le jour où l'on venait au monde. On naissait le jour où l'on s'adoptait soi-même. À l'heure, à la minute, à la seconde où l'on se préférait, où l'on penchait subitement en faveur de soi, on naissait. C'était simple. C'était peut-être trop simple. Brusquement je perdais le fil, encore une fois. Il ne me venait plus rien. Il n'y avait pas de suite. C'était ça et c'était tout. Il me fallait m'attacher à moi, à moi seul. Il me fallait m'enticher de moi, une fois pour toutes. Il me fallait m'estimer, avec mes manquements, mes défaillances, mon désespoir qui allait et venait, ma voix qui chantait tout trop haut, mes paysages fondateurs, mes mots, ma musique, ma dévotion pour la lumière, mes fièvres visionnaires et ma peur du sang. C'était ça, il n'y avait pas à chercher plus loin.

Vint enfin l'heure où on le mit au tombeau. Je n'en pouvais plus. Les gars, comme moi, étaient au bout du rouleau. J'étais enfin comme les autres, avec les autres.

Nous nous traînions. Nous n'arrivions plus à rire, à parler pour ne rien dire, à fumer, à lancer le ballon. On avait roulé sur nous la grosse pierre, nous étions enfermés avec lui dans le caveau, d'où le crucifié allait ressortir, seul, le surlendemain.

Au beau milieu de l'office du samedi saint, je tombai dans les pommes. Je me retrouvai, je ne sais comment, dans la cour. Nelson me portait comme un paquet de guenilles tout juste bonnes à jeter au feu. Il riait dans mon cou et je riais avec lui. Il disait :

— Je vais finir par croire que ma vraie raison d'être, en ce royaume de ténèbres, c'est de veiller sur toi !

Il me déposa sur une marche et s'accroupit devant moi, le poing sous le menton.

— Dieu merci, c'est fini, hein ?

— Oui.

— Demain, les vacances !

— Oui.

— Tu vas chez vous ?

— Ben… oui. Faut bien.

— Oh, mais dis donc, c'est la joie !

Ce n'était pas la joie et pourtant je ris. Je ris à pleurer avec lui, le front contre son épaule.

— On rigole bien tous les deux, non ? Si tu dis le contraire, j'te reprends à bras-le-corps et te ramène à la chapelle !

Je riais. Je ne pouvais plus m'arrêter, j'en avais mal aux côtes. La cloche sonna. Je fermai les yeux et aperçus mes Trois Pins qui montaient la garde au creux de la baie délivrée de ses glaces. Ils m'attendaient. Je ne le savais pas encore mais j'avais un plan. Désormais, il y avait en moi quelqu'un qui décidait. C'était une façon de bonheur, déjà, ce consentement, cette obéissance à ce qui commandait en moi, pour ainsi dire à mon insu. Nelson vit bien que j'avais changé d'air. Il dit :

— À quoi tu penses, là ?

— À rien.

— Menteur !

Alors je lui sautai dessus. Je voulais l'étreindre et non me battre avec lui. Je l'aimais et j'avais peur. Avec Nelson, c'était toujours trop et ce n'était jamais assez. C'était merveilleux et c'était impossible. Je n'avais que lui et à présent je le frappais. J'avais besoin qu'il m'arrête, qu'il referme ses bras sur moi et m'empêche de penser encore une fois, de croire encore une fois, de crier encore une fois : « Tout est fini avant d'avoir commencé ! » Heureusement, il était le plus fort. En un temps, trois mouvements, il eut raison de moi, il me mit knock-out. Puis il me tint longtemps serré contre lui. Au bout d'un moment, il dit :

— Je sais pas ce que t'as dans la tête, mais je voudrais pas que tu fasses une bêtise. Tu m'entends ?

Ensuite, il m'a lâché et il est parti, il est rentré. Dans le ciel, au-dessus du préau, j'ai aperçu un nuage en forme de croix. Je me suis agenouillé dans le gravier, j'ai attrapé un gros caillou et je l'ai lancé de toute ma force dans le ciel. Je suis rentré avant de l'entendre tomber dans l'herbe de la cour.

*　*　*

Je ne traîne pas avec moi ma petite valise. Pour ce que j'ai à faire, je n'en aurai pas besoin. Il fait beau. Jamais il n'a fait si beau. Je suis celui qui marche dans la ville en sachant enfin où il va. Aux passants, aux mannequins des vitrines, je voudrais crier : « C'est moi, ce n'est que moi, c'est enfin moi ! » J'entends la voix de maman qui chuchote à mon oreille : « Pour le malheur, il fait toujours beau ! » C'était avant. Les superstitions, les mises en garde, les scrupules, les hésitations, c'est fini. J'avance dans la certitude, et la certitude est un mystère. Tout doit se faire sans que je le sache. Je pourrais flancher, rebrousser chemin. Je m'adresse toujours à moi-même avec des mots empruntés à mes insignifiants romans d'aventures. Mais, pour une fois, ils disent peut-être juste. Joyeusement, je me répète : *Ce matin-là, rien n'était plus pareil.* Et encore : *Il était animé par un désir que rien ne pouvait entraver.* Dès que se pointe la frousse, je chante. Je possède à présent un vaste répertoire de mélodies qui font allonger la jambe. Des marches militaires, des incantations guerrières, des chansons à mettre le feu aux poudres. J'ai besoin de progresser sans connaître encore mon intention. Trop longtemps j'ai suivi le mauvais chemin, m'enfonçant dans l'épaisse forêt de l'ogre, mes poches pleines de miettes de pain pour les oiseaux. C'est fini. Aujourd'hui, j'avance les poches pleines de cailloux. Je ne suis pas seul. Jean-Pierre marche avec moi, et aussi Nelson, et derrière lui le père Gobeil, réglant son pas sur celui de mon ami James, l'ange de *La Fureur de vivre.* Ils ont laissé tombé la veste, la soutane, le blouson de cuir. Ils marchent les bras nus dans la lumière. Ils sont avec moi.

Dans l'autobus, je dors tout le long du trajet. Ce n'est pas que je sois fatigué. Je me méfie. J'ai trop souvent rendu les armes, trop souvent demandé grâce au ciel vide, aux arbres immobiles, écrasé sur ma banquette, dompté par ma terrible faiblesse. Je me réveille pile au bon endroit et au bon moment. C'était de tout temps prévu. Je suis d'attaque, n'ayant pas perdu mon temps et ma force à me tracasser avec des comment et des pourquoi.

Le chauffeur m'obéit sans broncher. Aujourd'hui, tout m'obéit. L'autobus s'arrête tout en haut de la côte. Avec le chauffeur, je perds un peu de temps à forger des explications qu'il ne me demande pas. Il ne me regarde pas, ne m'écoute pas. Il bâille, le regard droit devant lui, les bras croisés sur son volant. Je descends. L'autobus repart. Devant moi s'étirent les hautes épinettes, en deux rangs solennels, de chaque côté du chemin qui conduit au cimetière. Plus loin, les champs dévalent jusqu'à la baie. C'est aujourd'hui que je vais savoir s'il est vrai que les morts se taisent et que mes Trois Pins ne sont qu'un paysage fabuleux. Il ne reste plus que quelques strates de neige, ici et là. On dirait déjà des nappes étendues dans l'herbe pour un pique-nique auquel personne, sauf moi, n'est convié.

Je descends l'allée, traversant au pas de course les éclaircies de soleil et les ombres élancées des épinettes. J'avance entaillé de jour et de nuit, un pas impétueux et le suivant trouillard. Peu importe. Ce n'est plus une affaire de courage ou d'épouvante : on m'attend, un point c'est tout. L'ange est toujours là, qui garde l'entrée, ses ailes mêlées aux branches les plus basses du saule, son flambeau levé dans le bleu du ciel, figé comme de la glace. Derrière lui, les lilas sont en bourgeons. Tout haut, je récite : « *Syringa vulgaris*, cultivé partout, apporté de Perse par Busbec, ambassadeur d'Allemagne à Constantinople ». Je sais par cœur mon gros livre. Il vient à ma rescousse, il m'empêche de considérer l'effroi qui me tourne autour. La tombe de grand-père est à droite, au fond, sous les branches pleureuses du saule. Je m'y rendrais les yeux fermés. Mais je les garde ouverts, je veux tout voir, tout distinguer. Les ramures de l'arbre sont déjà étoilées de chatons blonds. Je récite : « C'est ordinairement un arbrisseau, mais quand il croît isolément, il peut devenir un arbre. Une branche cassée, tombée sur un sol humide, s'enracine aussitôt. » J'épelle tout haut les belles qualités du saule. C'est de moi que je parle. C'est moi que je crains. Ma force nouvelle peut me lâcher, je le sais.

La pierre tombale est toute simple. Un rectangle de granit, surmonté d'une croix de fer. C'est mon oncle Florent qui l'a choisie. « Pas la peine qu'on se ruine ! Le père est mort, sa tombe il la verra pas. » Je m'agenouille sur la mousse et caresse du bout des doigts son cher nom creusé dans la pierre et aussi les beaux chiffres ouvragés : 1878-1960. C'est un long parcours. C'est un séjour bien trop court. Sa vie, d'abord on l'aime, puis on la déteste. Et ensuite on attend. Il y aura peut-être des gestes tendres, du soleil dans une fenêtre, un ami, peut-être même une fille sauvage aux beaux yeux violets, comme grand-mère, ta femme. Tes fils ont peur de toi, grand-père. Pas moi. Tu vois, je te parle à cœur ouvert. Je ne te demande rien. Il ne faut pas, je le sais.

Et puis je ne peux plus demander. Je ne sais plus, j'ai désappris. Je sais que tu m'écoutes, que tu comprends et que tu approuves ce que je m'apprête à faire. Je ne retournerai pas au collège, grand-père. Et je ne rentrerai pas chez nous. Je suis orphelin, tu le sais. Je suis l'enfant de la baie, de mes songes, des mots, de la musique. Je ne suis pas encore au monde. Je ne suis surtout jamais là où je suis. Je suis ailleurs, où je suis presque toujours seul. Je ne sais pas au juste pourquoi je suis comme ça, séparé, pourquoi je dure en traquant des lueurs dans une fenêtre, des miettes d'affection dans les yeux de quelques amis qu'on a enfermés avec moi. Un jour, je lirai ton livre. On l'a caché, mais je le trouverai, et alors je saurai comment t'emboîter le pas, comment sortir de mon piège. Je ne suis pas fou. Ils ne m'ont pas rendu fou, même s'ils ont bien failli. Parfois, je devine qu'il y a quelqu'un, c'est peut-être toi, qui retient son souffle à mon côté, qui attend avec moi. Il y a au fond de moi une dureté. On dirait une grosse pierre qui se serait, je ne sais comment, nichée dans mon ventre. Je la porte. Je la porterai sans doute toujours. Je m'y ferai. Je m'y fais déjà. Papa, maman et les curés ont tenté de m'élever mais, comme dit Nelson, « ils m'ont échappé ». Ils n'ont pas réussi, sauf pour la pierre, que j'ai dû avaler sans m'en apercevoir. Il s'agit peut-être d'un caillou, que je n'ai pas voulu glisser dans ma poche, de peur de le perdre. Un caillou pour marquer mon chemin et que j'ai mangé, qui a grossi en moi. Je pense souvent : « Ce caillou-là, jusqu'à la fin, m'empêchera de me perdre. » Je ne pleure pas, grand-père. Ce ne sont pas des larmes. C'est le vent qui se lève et qui me brûle les yeux, tout comme il défait mes cheveux, fait danser les branches. Je dois y aller, grand-père. Il le faut. Quoi qu'il arrive, je t'aurai tout dit, à toi qui m'aperçois sans me voir et m'encourages sans rien me dire.

Je me redresse et je me mets à courir. Je ne me retourne pas. En un rien de temps je gagne l'orée du bois. Je crève les branches, m'enfonce dans la broussaille, déboule, tombe, me relève. Tout se passe exactement comme dans mon songe éveillé chez le père Gobeil, cadencé par les rugissements de l'orgue. Je suis libre. Je l'ai toujours été. On n'a pas pu me retenir, et à présent c'est fini. Je cours. Amoureux sans amour, je dévale le champ, abandonnant des lambeaux de mon manteau aux ronces et mon souffle au vent. Je sais exactement où je vais. Si je suis de nouveau repris par ma folie, tant pis ! Je ne dois pas m'arrêter. Ils ont roulé trop tôt sur moi la pierre de mon tombeau. Je suis vivant. Voyez, il arrive, l'enfant souffre-douleur, les pieds chaussés des bottes de sept lieues ! Regardez-le enjamber les montagnes, franchir d'un bond les rivières, aussi aisément que le moindre ruisseau ! Je ne m'étais pas trompé : cette aube d'argent qui se lève dans les feuillages, ce n'est pas la glace, c'est la grande eau libre du lac. Au-dessus de moi jappent les oies. Elles aussi reviennent, et avec elles les colverts, les sternes, les pluviers. Nous revenons tous. Nous étions partis au bout du monde et nous voilà de retour. Ça jacasse dans l'anse, à tue-tête. Ça chante tout trop haut, comme moi. J'entends précisément chaque cri, tout comme je distingue chaque jonc repoussé, chaque tige nouvelle.

Et je retrouve facilement ma couche de mousse sous les Trois Pins. Je m'accorde avec le sang du couchant, avec la grève qui se plaint, avec le vent qui respire amplement. Je me roule, en boule, couvert de mon manteau. C'est fini. Ça commence. Je suis revenu.

*   *   *

Ils m'ont cherché longtemps. Ils m'ont cru mort. Je l'étais. Ils ne pouvaient pas savoir. Cette fois je n'ai pas aperçu les phares du camion. Ils m'ont secoué. Ils criaient. Je ne les écoutais pas. C'était fini. C'était commencé. Ils n'ont pas compris, même quand j'ai ouvert les yeux et que j'ai prononcé, très distinctement :

— Allez-vous en ! Je veux rester ici !

Ils m'ont emmené. Je ne pesais pas lourd. J'étais un mort léger qui se laissait emporter. J'étais dans les bras de papa, mais ça n'avait plus d'importance. C'était fini. Je souriais. Ils n'en revenaient pas, j'étais vivant. Je fermais les yeux, j'écoutais toujours la musique de l'orgue. Je passais ma langue sur mes lèvres qui avaient le goût de sang, de mon sang. Je m'étais trompé, et c'était tant mieux. Quand je pensais, disais « Tout est fini avant d'avoir commencé », j'imaginais mon histoire impossible, mon rôle injouable sur la terre. J'avais oublié le temps qui devait passer, qui passerait, qui passait. Combien de jours, de mois, d'années me séparaient de ma résurrection ? C'était sans importance. Je le voyais toujours, lui, dans son tombeau, auréolé de lumière blanche. Et c'était moi, plus tard, plus loin et le temps était passé.

146

Ils ont fait venir le docteur, qui a cherché long-temps, puis a trouvé mon pouls, ma vie et aussi mon mal : une vilaine grippe, qui risquait de dégénérer en pneumonie, encore une fois. Il fallait me soigner. C'était dangereux. Je souriais. Ce n'était pas grave. Je n'allais pas mourir. J'allais attendre encore. J'allais sur-tout dormir, bercé par la musique, dormir le plus long-temps possible.

*   *   *

En somme, si je comprends bien, parce que tu voulais te mettre à vivre, tu as cherché à mourir ? À moins que ce ne soit l'inverse : parce que tu voulais mourir, tu as com-mencé à vivre ? Quoi qu'il en soit, tu me manques.
Hier après-midi, j'ai entendu, mais sans le voir, le viréo aux yeux rouges, au fond de la cour. On aurait dit qu'il ne chantait pas mais réfléchissait à voix haute. Il ne poussait pas son cri ordinaire mais lançait un appel, un appel au secours. Je suis resté longtemps à l'écouter, le dos contre le mur. Et j'ai pensé à toi. Il faut t'écouter sans chercher à te repérer, toi aussi, dans l'ombre des feuillages. Tu as souvent les yeux rouges et tu chantes en perchant ta voix, comme lui. Et, sans doute, tu appelles au secours. Je veux que tu saches que je suis là...

Je repliais la lettre de Nelson, la glissais sous mon oreiller et retournais à l'oubli. Il me fallait perdre du temps, en perdre beaucoup. Je n'avais plus d'intuitions, plus de pressentiments. J'étais abasourdi. C'était soit une déchéance, soit le travail fou du printemps, comme me l'expliquait le gros livre. J'y pensais un peu, puis je me rendormais. Je voulais dormir jusqu'en mai, peut-être encore plus loin, jusqu'à ce que mon heure sonne, comme disait maman. J'entendais de temps à autre la cloche du dortoir. C'était un signal auquel je n'étais plus forcé d'obéir. Je continuais à dormir. Je mangeais docilement tout ce que maman me donnait. Je me promenais dans la maison comme un somnambule, mon chien sur les talons. Je m'aventurais parfois dehors. Je tournais en rond dans notre cour, étonné de ma nonchalance, de ma paresse, de mon pas tranquille dans l'herbe. Je retrouvais tout sans rien reconnaître. Je n'étais pas libre encore. J'étais vide, déserté. Maman chantonnait dans la cuisine. Elle chantait juste. Elle chantait sans raison, comme l'horloge au-dessus de mon lit carillonnait l'heure, la demi-heure, pour rien. Je me rendormais en écoutant leurs bruits d'assiettes, de verres, de fourchettes, de couteaux, et aussi leurs bavardages, leurs patati, leurs patata. La voisine devenait folle, elle étendait son linge à sécher sur notre clôture. Le lac avait regagné son lit. Il faudrait remettre à l'eau le quai, chez Pitt. Les jours rallongeaient. Le chien s'était fait arroser par la mouffette qui nichait sous le hangar. Ils avaient tant à dire, à faire, à penser, tandis que je travaillais à tout oublier, à tout désapprendre. Ils me fatiguaient. Je fermais l'œil, heureux d'être englouti avant d'en entendre plus. Au beau milieu de la nuit, je faisais surface. Je crevais le dos d'une rivière qui coulait toute seule dans la nuit, sous de grands arbres penchés. Je poussais un cri que seuls les feuillages entendaient. Et puis je m'enfonçais sous l'eau, je coulais, je me rendormais.

J'ouvrais les yeux sur papa. Il était assis dans son fauteuil. Il sommeillait, lui aussi. Nous étions deux dormeurs face à face, deux chercheurs d'oubli, deux embusqués, deux lâches. J'avais honte un moment, puis mes paupières retombaient. Nous étions peut-être pareils, tous les deux, chacun à son extrémité du temps. La voix en moi disait : « On ne vient pas facilement à bout de ce qu'on sait et qu'il faut cacher. C'est pas facile pour lui non plus. » Et de nouveau je sombrais.

Un matin, ç'a été fini. J'étais guéri. On m'a regardé enfin droit dans les yeux et on m'a dit ça : « T'es guéri ! » Je l'ai cru. Pourquoi pas ? Je me suis levé, je me suis habillé. La petite valise attendait près de la porte. Qui donc l'avait rapportée et quand ? C'était sans importance. J'ai entendu le ronron du camion de mon oncle. Je suis sorti. Dans l'encadrement de la porte, maman a pleuré un peu, en tordant son tablier. Papa me tournait le dos. Il était occupé à rafistoler un poteau de notre barrière démoli par la glace.

— Et c'est reparti !

Mon oncle Louis, en bras de chemise, la casquette sur le coin de la tête, m'a ouvert la portière, plié en deux comme devant un monseigneur en visite de paroisse. Ils ont ri un peu, papa et lui, et puis je suis monté dans le camion.

*   *   *

Je n'allais plus en classe. Je me cachais. On me cherchait. On finissait par me trouver. J'étais dans la rue, je demandais l'aumône aux passants. J'étais assis au fond de l'armoire du gymnase, le gros livre sur mes genoux. J'étais couché au fond du préau, en pyjama. On me ramenait. Je recommençais, et de nouveau on me cherchait, on me trouvait. On me disait : « Tu vas couler ton année ! » Je souriais. On me plantait là. Je retournais me cacher et ça recommençait : on me cherchait, on me trouvait, ça continuait.

Je ne voyais plus Jean-Pierre, je ne voyais plus Nelson. Je ne voyais plus personne. À l'étude, je barbouillais mes livres, puis déchirais les pages en minces lanières. Je les mâchais longtemps sans faire de bruit. Je ne voulais rien manger d'autre. Au réfectoire, je bourrais mes poches de tranches de pain et de gâteaux que je lançais aux merles revenus dans la cour. Les gars me tassaient dans un coin. Ils me secouaient. Je me laissais faire, ils s'en allaient. J'étais de nouveau seul et je tournais en rond, je m'étourdissais, je me fuyais, me poursuivais. Ça continuait. En classe, je dormais. On me réveillait. On me disait : « Répondez ! » Je n'avais pas la réponse. Je criais :

— Laissez-moi tranquille !

Et je sortais, en prenant bien soin de ne pas claquer la porte. J'errais dans le corridor. Le temps m'avait oublié, il marchait tout seul, il m'avait largué. Depuis longtemps c'était fini et pourtant ça continuait. Je devais faire quelque chose, je ne savais pas quoi, mais il fallait que je fasse quelque chose. Je m'asseyais par terre. J'essayais de pleurer, mais ça ne marchait pas. Je me relevais. Je descendais au réfectoire : il n'y avait personne. Je montais à l'étude : elle était vide. Je tendais l'oreille : l'orgue jouait. Ils étaient à la chapelle. Je m'y rendais. Ils n'étaient pas là non plus. C'était un élève tout seul qui travaillait ses gammes. Je ressortais. Je ne savais plus où aller. Je n'allais nulle part. Adossé au mur, j'attendais. La cloche sonnait. Soudain, je les voyais passer, en rangs. Je les suivais. Ça continuait.

*   *   *

Je rejoins les gars au milieu de la cour. Ils ont allumé un grand feu avec les bandes de la patinoire. Dans sa lueur effrayante, ils crient, ils chantent, ils se tapent dessus. Les flammes grimpent dans le ciel vert de mai. Les gars sont déchaînés. Ils font tous ensemble une danse d'Apaches autour du brasier. Ils hurlent :

— C'est fi-ni ! C'est fi-ni ! C'est fi-ni ! ! !

Jean-Pierre me tire par la manche.

— Suis-moi !

Je marche derrière lui, en direction du préau. L'incendie me fait une ombre de géant qui court toute seule devant moi, déchaînée. Brusquement, je m'arrête. Je fais volte-face et reviens en courant vers le feu.

— Qu'est-ce que tu fais ?

Seul l'écho du préau répond à Jean-Pierre. Je m'approche du bûcher. Je veux qu'il éclaire mon visage comme il faut. Je veux que les gars me voient. J'allonge le bras. J'attrape un tison et je le brandis bien haut dans le ciel. À pleins poumons, je gueule :

— Vous êtes fous ! Vous êtes tous fous ! Arrêtez !

— Qu'est-ce qui te prend ?

C'est Nelson. D'une main, il s'empare de mon flambeau et de l'autre il m'entraîne à toute allure au fond de la cour. Le feu flambe dans ses lunettes, si bien que je ne vois pas ses yeux. Il est en colère, lui aussi. Nous sommes tous en colère. Le ciel est en feu, l'air me brûle les poumons. Je dérape sur un caillou. Je tombe. Je n'en finis pas de tomber et je pense : « Ils ont raison ! Il faut mettre le feu au collège ! C'est la seule chose à faire ! » Alors pourquoi est-ce que j'ai voulu les arrêter ? Serait-ce qu'à présent, n'ayant plus que lui, je tiens à mon malheur ? Je suis lâche, je ne crois à rien, pour moi rien ne sert jamais à rien ! C'est que je sais que ça ne peut pas être fini, que ça ne finira jamais ! « Il faut vous apaiser ! » Cette voix-là, la voix du mort auquel j'ai fermé les yeux, je ne veux plus l'entendre. Je ne veux pas m'apaiser ! Je ne m'apaiserai jamais, il est trop tard ! On me secoue. J'ouvre les yeux.

— Réveillez-vous ! Vous avez fait un cauchemar !

C'est le pion du dortoir. Il n'a pas sa soutane. Il est en camisole. Son scapulaire pend et me frôle la joue. Je ferme les yeux. Il s'en va. Je l'entends qui ouvre la porte de sa chambre et doucement la referme. Je respire à grands coups. Mon lit est mouillé. À travers les volets, je ne sais pas si c'est l'aube qui pointe ou bien la sentinelle qui veille. Je ne peux pas dormir. J'ai trop dormi à la maison. Quand même, je ferme les yeux. Je sais qu'il va se passer quelque chose. Je ne dors pas. J'attends.

*   *   *

Je ne voulais pas faire ça. Je n'y pensais pas. Je n'y avais jamais pensé. Je me levai pour aller aux toilettes. Assis sur la cuvette, je me mis à songer à Icare. Je revoyais l'illustation du dictionnaire : Icare sortant du Labyrinthe, ses grandes ailes déployées et, loin au-dessus de lui, la boule de feu du soleil qui le met au défi. Je comprenais. D'une certaine façon, je lui ressemblais. Soudain, je m'entendis prononcer tout haut : « Tu vas couler ton année. » Ce n'était rien, rien du tout. Je coulerais mon année. J'allais peut-être enfin descendre au fond, apercevoir enfin ce qu'il y avait au fond. Je souriais dans le noir. Je me voyais sourire. Je pressentais quelque chose. J'avais toujours cette image, comme un désir, une exigence, ce beau vol d'Icare vers le soleil. Avec le temps, il n'y avait pas d'accord possible. Il se traînait ou bien il filait à toute allure, et moi je restais là, arrêté, planté devant le cadran d'une horloge qui montrait toujours la même heure. Un jour, j'aurais quinze ans, dix-huit ans, vingt ans. C'était inimaginable. Le soleil qui m'appelait serait alors tout froid. Ce serait un autre soleil, un autre temps, et ce ne serait plus moi. Je ne me serais toujours pas éveillé et ça recommencerait. Il me faudrait encore attendre, en sachant qu'il était trop tard. J'avais peur et c'était bon. J'aimais ma peur, elle était tout ce que j'avais. Elle m'empêchait de céder, elle me gardait sur le qui-vive. Elle me protégeait. Un soir, au crépuscule, assis sur la dernière branche du plus haut de mes Trois Pins, je lirais le journal de grand-père. Je saurais. Mon chagrin s'expliquerait, entièrement. Ce serait fini. « Mais non, pauvre fou, ils l'auront brûlé ! » C'était encore la voix qui empêchait tout. Je tirai la chasse. J'aimais son fracas de chute, son tumulte rapide, suivi du ruissellement tranquille de l'eau qui revenait dans le réservoir. Je m'imaginai sous une cascade, sentis couler sur mon dos l'avalanche froide d'une chute. Non, c'était moi qui coulais, coulais mon année, coulais de mauvais jours, coulais tout court. À quoi bon partir, courir, voler ? Il n'y avait nulle part où aller.

Je sortis de la toilette. Le plancher froid sous mes pieds, c'était la grève. J'avançai, abandonnant derrière moi mes pas dans le sable. La vague les effacerait aussitôt, je le savais. Soudain, j'aperçus l'échelle. Depuis toujours elle était là et pourtant je ne l'avais jamais vue. J'avançai encore. Chacun de mes pas me dépêchait en direction de ce que je devais faire et que j'ignorais. J'avais souvent grimpé aux arbres, ce n'était pas une échelle qui pouvait m'embêter. Tout en haut, il y avait une trappe. J'imaginai un grenier poussiéreux, bourré de sommiers rouillés, de matelas étripés, sur lesquels avaient dormi et rêvé les anciens. Je soulevai le panneau. Je me hissai dans une longue pièce basse et vide, percée d'une toute petite fenêtre. On aurait dit un œil entrouvert sur le jour qui se levait dans la cour. Tout était pareil et pourtant tout était changé. J'étais plus haut, j'étais plus grand, j'étais peut-être plus tard. J'avais vieilli, en gravissant les échelons. Je me dis ça : « Tu as vieilli en gravissant les échelons. » Et je souris. Mais mon cœur cognait. Ce n'était plus notre cour, nos poteaux de volley-ball, la sentinelle, notre préau. C'était une installation miniature, depuis longtemps désertée. C'était fini. Dans le rêve, j'avais eu raison. Ce n'était plus la peine de mettre le feu au collège, il s'était vidé tout seul. Depuis longtemps, les gars étaient partis. C'était maintenant une cage vide et j'étais le premier, le seul à savoir. Le jour montait. J'aperçus un escalier qui menait à une porte peinte en rouge. Je grimpai. Je fis jouer facilement le verrou. Une cloche sonna quelque part, très loin. Je poussai la porte. J'étais monté jusqu'au soleil. Il se levait sur les toits. Il allumait la hauteur des arbres, il dominait la ville et je la surpassais avec lui. Le monde était si grand, si clair. Je l'avais cru petit et noir. C'est que j'étais tout en bas, le nez collé aux choses, aux livres, aux gars, aux murs, à mon chagrin. Ce n'était pas une vie. Mais je l'avais vécue et c'était fini. Je culminais aujourd'hui à la hauteur du jour qui sortait des nuées. Jusque-là, le soleil n'avait rayonné sur moi qu'à travers un rideau, une vitre opaque. Aujourd'hui, je le regardais en pleine face. J'entendis des voix, des cris, des pas qui résonnaient dans la cage d'escalier. Je m'accroupis et sautai. Je volai un peu et tout de suite tombai sur la tôle. Je n'étais pas Icare. Mes ailes n'étaient pas collées avec de la cire. Elles étaient bien solidement attachées. Je les déployai. On cria, tout en bas. Je baissai les yeux. Dans la cour, ils étaient une douzaine, en pyjama, qui pointaient leurs bras vers moi, la tête renversée. Ils ne pouvaient pas savoir. C'était normal. Je battis des bras, je m'élançai. Ils poussèrent ensemble une clameur si violente que je m'arrêtai, au bord du vide. Je me mis à rire. J'étais exactement pareil à mon frère blond, celui de *La Fureur de vivre*, qui arrêtait sa grosse voiture tout au bord du ravin.

— Ne fais pas ça !

En me retournant, je perdis pied. En bas, la huée reprit de plus belle. Nelson avançait vers moi, les bras tendus devant lui comme un somnambule. Je m'écrasai sur la tôle. Je me répétai deux ou trois fois encore : « C'est fini, c'est fini. » Puis je sentis ses bras qui se refermaient sur moi. Il me serra contre lui. Il dit, lui aussi :

— C'est fini. C'est fini.

*   *   *

Ils sont arrivés à la brunante. Le camion était frais lavé et même frais ciré. Je les attendais en bas du grand escalier. Ils ont chargé dans la boîte le gros coffre qui contenait toutes mes affaires. On aurait dit qu'ils n'étaient venus que pour ça, pour récupérer le coffre et l'emporter. Papa était en salopette, et mon oncle Louis en habit du dimanche. Sans me regarder, papa m'a fait signe de monter. Je lui ai fait signe que non, sans le regarder non plus, et j'ai grimpé dans la boîte. Je me suis assis sur le coffre. Qu'ils le veuillent ou non, ils me récupéraient, moi aussi, ils m'emportaient. Papa a lancé, en dévisageant ses bottes :

— Comme tu voudras !

Ce qui m'arrivait n'arrivait qu'à moi. Ce qui lui arrivait n'arrivait qu'à lui. Ce serait comme ça maintenant, et c'était très bien. Il a rejoint Louis sur la banquette. Le moteur a toussé longtemps, puis nous sommes partis. J'ai dégringolé du coffre. Je me suis roulé en boule au fond de la boîte et me suis mis encore une fois à compter les jours, les mois, les années qui me séparaient de ma délivrance. Les chiffres sautaient, se tordaient, prenaient feu et tombaient en cendres sur ma tête, mes épaules. Ça n'avait pas d'importance. Plus rien n'avait d'importance.

J'ai dormi et je n'ai pas rêvé. Je me suis réveillé au moment où le camion grimpait la côte du monastère. J'ai pensé à grand-père et j'ai fermé les yeux. Je savais qu'on entrait dans la baie : ça sentait bon la vase, la sève de saule, le sable mouillé. J'ai ouvert les yeux. Mes Trois Pins dominaient le fouillis vert tendre du bois. Ils m'attendaient.

En haut de la côte, on avait cloué sur une épinette un grand panneau rouge sur lequel il était écrit en grosses lettres noires : « Il faut que ça change ! » J'ai pensé à Jean-Pierre, au collège, à l'avenir et j'ai soupiré un grand coup.

Je me suis accroupi et j'ai collé mon visage à la lunette arrière de la cabine. Papa hochait la tête, fumait, marmonnait des mots que je n'entendais pas. Mon oncle Louis hochait la tête, répondait, je ne l'entendais pas non plus. Ils étaient tout proches et c'était comme s'ils n'étaient pas là. Ou plutôt, je n'y étais pas, moi, je n'y étais plus. Ça faisait toute la différence, mais rien n'y paraissait. Ça continuerait, mais ce ne serait plus jamais pareil, je le savais.

Le vent me fouettait le visage, les épaules, les bras. Le vent m'échevelait, m'assourdissait, me remplissait les yeux de bonnes larmes fraîches. C'était bon. C'était fini. Ça commençait.

Sainte-Cécile-de-Milton, avril 2004-juin 2005

MISE EN PAGES ET TYPOGRAPHIE :
LES ÉDITIONS DU BORÉAL

ACHEVÉ D'IMPRIMER EN OCTOBRE 2005
SUR LES PRESSES DE L'IMPRIMERIE AGMV MARQUIS
À CAP-SAINT-IGNACE (QUÉBEC).